ЛУИЗА ХЕЙ

Исцели СВОЮ ЖИЗНЬ

Москва
2020

YOU CAN HEAL YOUR LIFE
By Louise L. Hay

Copyright © 1984, 1987, 2004 by Louise L. Hay
Original English language publication 1991 by Hay House, Inc. in California, USA.
Tune into Hay House broadcasting at: www.hayhouseradio.com

Хей, Луиза.

Х35 Исцели свою жизнь / Луиза Хей ; [пер. с англ. М.П. Модзелевской]. – Москва : Эксмо, 2020. – 224 с. – (Бестселлеры Луизы Хей).

Луиза Хей – одна из основателей движения самопомощи, автор более 30 книг популярной психологии. В книге «Исцели свою жизнь» (You Can Heal Your Life) автор предлагает собственные уникальные методы излечения многих болезней с помощью силы воли и мысли – надо лишь изменить свой стереотип мышления, принять и полюбить себя и свое тело.

УДК 133.4
ББК 86.42

Издание для досуга

Главный редактор Р. Фасхутдинов. Ответственный редактор А. Мясникова
Художественный редактор В. Терещенко

В оформлении обложки использованы иллюстрации: Guz Anna, TopGear / Shutterstock.com
Используется по лицензии от Shutterstock.com;
vitamasi / Istockphoto / Thinkstock / GettyImages.ru
Во внутреннем оформлении использована иллюстрация:
pinkcoala / Istockphoto / Thinkstock / GettyImages.ru

ООО «Издательство «Эксмо».
123308, Москва, ул. Зорге, д. 1. Тел.: 8 (495) 411-68-86.
Home page: www.eksmo.ru E-mail: info@eksmo.ru
Фндрукт - ЭКСМО-АҚБ баспасы, 123308, Мәскеу, Ресей, Зорге көшесі, 1 үй.
Тел.: 8 (495) 411-68-86.
Home page: www.eksmo.ru E-mail: info@eksmo.ru.
Тауар белгісі: «Эксмо»
Интернет-магазин : www.book24.ru
Интернет-магазин : www.book24.kz
Интернет-дукен : www.book24.kz
Импортёр в Республику Казахстан ТОО «РДЦ-Алматы».
Қазақстан Республикасындағы импорттаушы «РДЦ-Алматы» ЖШС.
Дистрибьютор и представитель по приему претензий на продукцию,
в Республике Казахстан: ТОО «РДЦ-Алматы»
Қазақстан Республикасында дистрибьютор және өнім бойынша арыз-талаптарды
қабылдаушының өкілі «РДЦ-Алматы» ЖШС,
Алматы қ., Домбровский көш., 3«а», литер Б, офис 1.
Тел.: 8 (727) 251-59-90/91/92, E-mail: RDC-Almaty@eksmo.kz
Өнімнің жарамдылық мерзімі шектелмеген.
Сертификация туралы ақпарат сайтта: www.eksmo.ru/certification
Сведения о подтверждении соответствия издания согласно законодательству РФ
о техническом регулировании можно получить на сайте Издательства «Эксмо»
www.eksmo.ru/certification
Өндірген мемлекет: Ресей. Сертификация қарастырылмаған

Подписано в печать 14.11.2019. Формат 70х102$^1/_{32}$.
Печать офсетная. Усл. печ. л. 9,26. Доп. тираж 4000 экз. Заказ 11842.

Отпечатано с готовых файлов заказчика в АО «Первая Образцовая типография»,
филиал «УЛЬЯНОВСКИЙ ДОМ ПЕЧАТИ». 432980, Россия, г. Ульяновск, ул. Гончарова, 14

ISBN 978-5-699-85854-5

В электронном виде книги издательства вы можете купить на www.litres.ru

ЛитРес:
один клик до книг

ISBN 978-5-699-85854-5

16+

СОДЕРЖАНИЕ

# ВВЕДЕНИЕ

Дорогие друзья!

Я написала эту книгу, чтобы поделиться с вами своими знаниями и теорией, которую проповедую. Она уже получила широкое признание как заслуживающее доверия исследование различных вариантов психологического настроя, вызывающих недуги.

Я получила сотни писем читателей, которые просили сообщить дополнительную информацию. Многие мои пациенты и участники семинаров здесь, в Америке, и за рубежом обратились с просьбой подробнее изложить суть и методы моей теории.

Моя новая книга написана в виде пособия. Представьте себе, что вы пришли ко мне на прием или присутствуете на моем семинаре. Если вы будете выполнять мои рекомендации в указанной здесь последовательности, то, прочитав последний абзац, вы уже начнете изменять свою жизнь.

Советую сначала прочитать все. Затем медленно перечитать второй раз, тщательно выполняя каждое упражнение.

Не спешите, уделите внимание каждому из них. Если есть возможность, выполняйте упражнения с другом или с кем-то из близких родственников.

Каждая глава открывается аффирмацией, которая хороша для использования именно в той области жизни, в которой у вас возникли проблемы. Уделите два-три дня изучению каждой главы. Многократно повторяйте и записывайте аффирмацию.

Все главы завершаются исцеляющей медитацией, которая поможет усвоить положительные идеи и таким образом изменить ваш стереотип мышления. Перечитывайте каждую медитацию несколько раз в день.

Вот несколько тезисов моей философии:

1. Каждый из нас отвечает за свой жизненный опыт.
2. Каждая мысль формирует наше будущее.
3. Наша сила — в настоящем моменте.
4. Все мы страдаем от недовольства собой и сознания собственной вины.
5. Тайная мысль каждого: «Я недостаточно хорош».
6. Это только мысль, а мысль можно изменить.
7. Обида, осуждение и сознание вины — самые пагубные для нас состояния души.
8. Избавление от обиды может излечить даже от рака.
9. Все у нас ладится, если мы действительно любим себя.
10. Мы должны избавиться от прошлого и всех простить.
11. Надо захотеть научиться любить себя.
12. Самоуважение и согласие с самим собой в настоящем — ключи к положительным переменам в будущем.
13. Каждой болезни в своем теле мы обязаны себе.

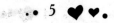

В бесконечном потоке жизни,
частицей которого я являюсь,
все прекрасно, цельно, совершенно.

Но жизнь постоянно меняется.
Нет ни начала, ни конца —
лишь круговорот материи и опыта:

Жизнь не есть нечто неподвижное
и застывшее, каждый миг ее
неповторим и приносит обновление.

Я неразрывно связан
с Великой Силой, создавшей меня,

которая дает мне энергию
строить собственную жизнь.

Я счастлив, что обладаю Силой Разума
и могу пользоваться ею, как хочу.

Каждое мгновение жизни — отправная точка на пути движения от прошлого к будущему.

Изменения для меня начинаются именно здесь, именно сейчас.

В моем мире все прекрасно.

Часть 1

ФИЛОСОФИЯ
ЛУИЗЫ ХЕЙ

Дорога к мудрости
и знаниям всегда открыта.

ВО ЧТО Я ВЕРЮ

В сущности, наша жизнь очень проста: нам возвращается то, что мы отдаем.

Все, что мы думаем о себе, становится реальностью. Я убеждена, что все мы, включая меня, отвечаем за все в нашей жизни — и хорошее, и плохое. Каждая наша мысль формирует будущее. Каждый из нас своими мыслями, чувствами и словами создает свой жизненный опыт.

Мы сами создаем различные ситуации, а потом, растрачивя энергию, возлагаем на других вину за свои разочарования. Никто и ничто не властны над нами, так как мы единственные мыслители в своей жизни. Только сотворив гармонию в своих умах, мы обретаем ее в нашей жизни.

Скажите, какое из двух утверждений более характерно для вас: «Люди стремятся причинить мне зло» или «Все готовы мне помочь»? Дело в том, что каждое из этих убеждений формирует различный опыт. Наши представления о себе и о жизни приобретают реальные черты.

Космос поддерживает каждую нашу мысль, в которую мы хотим верить.

Иначе говоря, наше подсознание впитывает все, во что мы хотим верить, то есть мои представления о себе и о жизни становятся реальностью для меня, а ваши — для вас. Мы имеем неограниченные возможности выбора, как думать и о чем. Понимая это, лучше выбрать утверждение: «Все готовы мне помочь», чем «Люди стремятся причинить мне зло».

Космическая сила никогда не судит и не осуждает нас.

Она принимает нас такими, какие мы есть, а затем отражает наши убеждения в нашей жизни. Если я хочу верить, что жизнь уныла, я одинок, никто не любит меня, то такой и окажется моя жизнь.

Если же внушу себе, что мир пронизан любовью, я люблю и способна вызвать ответное чувство, если буду многократно повторять эту аффирмацию, то это мое убеждение станет реальностью. Люди, любящие меня, войдут в мою жизнь, их чувства еще больше окрепнут, и я легко буду выражать симпатию и сердечную привязанность к другим.

Большинство из нас имеет нелепые представления о том, кто мы такие, и придерживается строгих правил, как следует жить.

Говорю это не в осуждение, так как каждый из нас в меру сил и способностей старается все делать как можно лучше.

Если бы мы были мудрее, лучше понимали себя и жизнь, то, конечно, поступали бы по-другому. Не укоряйте себя за создавшуюся ситуацию. Уже тот факт, что вы открыли для себя Луизу Хей, означает, что вы готовы изменить свою жизнь к лучшему. Поблагодарите себя за это. «Мужчины плачут», «Женщины не умеют распоряжаться деньгами»… В какие жесткие рамки загоняют нас!

Наше отношение к себе и жизни формируется в раннем детстве под влиянием взрослых, окружающих нас.

Именно тогда мы получаем первые представления о самих себе и о мире. Если вы жили среди несчастных, озлобленных, напуганных или испытывающих чувство вины людей, то узнали много плохого о себе и своем окружении. «Я всегда все делаю неправильно», «Это моя вина», «Если сержусь, значит, я плохой». Такие мысли делают наше бытие грустным и полным разочарований, отражающих тот образ жизни, который мы хотим реализовать на своем пути.

Повзрослев, мы стремимся воссоздать эмоциональную атмосферу, в которой прошло наше детство.

Трудно сказать, хорошо это или плохо, правильно или нет, но это то, что в нашем сознании ассоциируется с понятиями «дом», «семья». Строя свои личные отношения, мы пытаемся воссоздать родственные связи, которые были у нас с родителями или между ними. Не случайно наши возлюбленные и начальники зачастую бывают «точь-в-точь» как мама или папа. Мы относимся к себе так же, как родители относились к нам, как и они, мы ругаем и наказываем себя. Прислушайтесь к себе! Вы используете почти те же слова, что слышали в семье.

Если нас любили в детстве, то теперь, став взрослыми, мы тоже холим и лелеем себя.

Как часто вы говорили себе: «Ты все делаешь неправильно! Ты во всем виноват!»

«Ты замечательный! Я люблю тебя». Часто ли вы говорите это себе теперь?

Как бы то ни было, я не стала бы осуждать родителей за это.

Мы все жертвы тех, кто сам в свое время оказался жертвой. Вероятно, родители не могли нас научить тому, чего не знали сами. Если ваши мать или отец не умели любить себя, то, конечно, не смогли научить этому и вас. Они старались, как могли, и поступали так, как их самих учили в детстве. Если хотите лучше понять родителей, уговорите их вспомнить свое детство. Терпеливо выслушав рассказ, вы поймете, откуда появились их страхи и косые взгляды. Окажется, что родители, по вашему мнению «плохо» обращавшиеся с вами в детстве, были такими же запуганными, как и вы.

Я уверена, что мы сами выбираем своих родителей.

Каждый из нас решает воплотиться в определенном образе, месте и времени на этой планете. Мы решили прийти сюда, чтобы получить определенные знания и жизненный опыт, которые обеспечили бы наше дальнейшее духовное и эмоциональное развитие. Мы выбираем свой пол, цвет, страну, где родиться, а потом ищем подходящих родителей, в которых отразится тот образ жизни, который мы хотим реализовать на своем жизненном пути. Потом, повзрослев, мы смотрим на них укоризненно и хнычем: «Это вы во всем виноваты!» Однако на самом деле мы сами выбрали их, так как они

идеально соответствовали тому, что мы хотели бы совершить в своей жизни.

Мы формируем свои убеждения в детстве, а затем в течение всей жизни создаем ситуации, отвечающие им. Оглянитесь на свое прошлое. Вы увидите, как часто вы попадали в одни и те же обстоятельства. Я уверена: они отражали то, во что вы верите сами. И не имеет значения, как долго эта проблема существовала, насколько серьезной была и в какой степени угрожала вашей жизни.

Наша сила — в настоящем моменте.

Все события вашей жизни вплоть до настоящего момента были созданы вашими мыслями, убеждениями в прошлом и словами, которые вы произнесли вчера, на прошлой неделе, в прошлом месяце, прошлом году, десять, двадцать, тридцать, сорок лет назад или еще раньше, в зависимости от вашего возраста.

Тем не менее это ваше прошлое. Оно ушло безвозвратно. Очень важно знать, о чем вы думаете и во что верите, и что говорите именно в данный момент, поскольку именно эти мысли и убеждения сформируют ваше будущее. Ваша сила именно в настоящем моменте. Именно он определяет ваши поступки на завтра, следующую неделю, следующий месяц и т. д.

Хорошо, если бы вы обратили внимание на то, о чем думаете именно сейчас. Ваши мысли позитивные или негативные? Хотите, чтобы они определили ваше будущее? Запомните их и в дальнейшем имейте это в виду.

Главное в нашей жизни — мысль, а мысль всегда можно изменить.

Не имеет значения, что за проблема стоит перед нами; наш поступок — всего лишь отражение мысли. Даже если вы ис-

> **Исцеление возможно лишь в том случае, если мы откажемся от прошлого и всех простим**

пытываете чувство глубокой неудовлетворенности собой, оно лишь результат того, что вы сами о себе так думаете. «Я плохой человек». Эта мысль формирует чувство, которому вы поддаетесь. Как бы то ни было, если не будет мысли, не будет и чувства. А мысли можно изменить.

Изменится мысль, и вы избавитесь от чувства.

Все это только объясняет происхождение многих наших убеждений. Но не будем использовать эту информацию для оправдания зацикленности на своей боли или неприятностях. Каким бы долгим ни был наш негативный настрой, прошлое не властно над нами. Источник нашей силы — настоящий момент. Как чудесно сознавать это! Мы можем уже сейчас начать свободную жизнь.

Верите вы или нет, но мы сами выбираем свои мысли.

Мы можем снова и снова по привычке думать об одном и том же, так что даже не создается впечатления, что эти мысли выбираем мы сами. Но мы сделали своеобразный выбор, и мы можем отказаться от некоторых мыслей. Вспомните, как часто вы не желали позитивно думать о себе. А теперь можете отказаться от негативных мыслей.

 13

Мне кажется, что все, с кем я знакома или кого лечила, в той или иной мере страдают от недовольства собой и сознания собственной вины. Чем больше мы ненавидим себя, чем сильнее чувство вины, тем менее благополучна наша жизнь. И наоборот, чем больше ценим и уважаем себя и меньше виним, тем больших достигаем успехов во всех областях жизни.

Самая сокровенная мысль всех, кого я лечила: «Я недостаточно хорош». Можно еще добавить к этому: «Я мало работаю» или «Я — недостоин». Ну как, узнаете себя? Вы часто себе говорили, намекали или чувствовали, что «недостаточно хороши»? Но для кого? И по чьим меркам?

Если это мнение укоренилось в вас, то как можно сделать свою жизнь процветающей, полной любви, радости и здоровья? Это подсознательное убеждение так или иначе будет входить в противоречие с вашей жизнью. Вы никоим образом не сможете совместить их, что-то обязательно будет идти не так.

Я убеждена, что чувство обиды, критика и самокритика, сознание вины и страх порождают самые большие проблемы.

Именно эти чувства и состояния вызывают большинство проблем в нашем теле и жизни. А причина в том, что мы осуждаем других и не несем ответственности за свои поступки. Действительно, если мы сами будем отвечать за все происходящее в нашей жизни, то некого будет обвинять. Где бы и что бы ни происходило «там, вне нас», — это только отражение нашего собственного сознания. Я ни в коем случае не оправдываю плохое поведение некоторых людей, но именно наши убеждения привлекают их и провоцируют так дурно обращаться с нами.

Если вы поймаете себя на том, что говорите: «Все со мной поступают плохо, критикуют, не помогают, унижают и оскорбляют меня», значит, это ваш психологический настрой, ваш стереотип мышления. Вероятно, какие-то ваши мысли привлекают к вам внимание людей, которые позволяют себе такое поведение. Но если вы измените свой настрой, они отойдут в сторону и станут вести себя так с другими. Вы больше не будете привлекать их.

Приведу результаты влияния психологического настроя на физическое состояние людей. Так, длительное чувство обиды и гнева пожирает тело и может спровоцировать рак. Постоянная привычка осуждать и критиковать вызывает артрит. Чувство вины связано с ожиданием наказания, которое формирует болевые ощущения. Когда ко мне приходит пациент с жалобой на многочисленные боли, я знаю: его мучает сознание не одной вины. Страх и напряжение могут способствовать облысению, возникновению язвенной болезни и трофических язв на ногах.

Я пришла к выводу, что прощение, избавление от обиды и душевное равновесие способно излечить даже рак. Хотя это, возможно, звучит слишком упрощенно, я убедилась на практике в правдивости вышесказанного.

Мы можем изменить наше отношение к прошлому.

Прошлое ушло безвозвратно. Не в наших силах изменить его. Но мы можем изменить наши представления о нем. Как глупо сейчас, в данный момент наказывать себя за обиду, нанесенную нам кем-то в далеком прошлом.

Я часто говорю людям, страдающим от обиды: «Пожалуйста, начните избавляться от этого чувства сейчас, пока это сделать довольно легко. Не ждите, пока окажетесь под ножом хирурга или

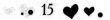

на смертном одре. Тогда ужас охватит вас, вы начнете паниковать, и нам будет очень трудно сосредоточить ваши мысли на лечении. Сначала потребуется время, чтобы избавить вас от страха».

Если вы внушите себе, что вы беспомощные и беззащитные жертвы и все наши усилия вылечить вас бесполезны, то Космос поддержит это убеждение, в результате ваше состояние будет ухудшаться с каждым днем. Крайне необходимо, чтобы вы выбросили из головы глупые, косные и грустные мысли, которые не поддерживают вас. Даже наша концепция Бога должна работать на нас, а не против нас.

Для того чтобы избавиться от прошлого, мы должны захотеть простить.

Мы должны захотеть избавиться от прошлого и простить всех, включая себя. Может быть, мы не знаем, как это сделать, но, возможно, даже фраза «Мы намерены простить» означает начало исцеляющего процесса.

Исцеление возможно лишь в том случае, если мы откажемся от прошлого и всех простим.

«Я прощаю тебя за то, что ты не такой, каким бы я хотел тебя видеть. Я прощаю и освобождаю тебя». Эта аффирмация делает и нас свободными.

Все заболевания происходят от нежелания простить.

В книге «Курс лекций о чудесах» (автор — Уопник Кеннет. — *Ред.*) говорится, что все болезни происходят от нежелания простить людей и себя и что каждый раз, когда мы заболеваем, надо оглянуться вокруг и посмотреть, кого мы должны простить.

А я бы добавила к этому: вы обнаружите, что вам будет труднее всего простить именно того человека, которому необходимо

В сущности, наша жизнь очень проста: нам возвраща-ется то, что мы отдаем.

позволить уйти прежде других. Прощение означает отказ, уступку, разрешение уйти. Но это ничего не имеет общего с дурным поведением. Просто это — избавление от всей проблемы. Нам не обязательно знать, КАК прощать. Единственное, что от нас требуется, — иметь ЖЕЛАНИЕ, НАМЕРЕНИЕ простить. Космос сам позаботится, как это сделать. Мы всегда ощущаем свою боль. Но многим из нас так трудно представить, что те, кто больше всего нуждаются в прощении, тоже чувствовали боль. Мы должны понять, что они старались делать все как можно лучше, пользуясь знаниями и сведениями, доступными им в то время.

Когда ко мне приходят люди со своими проблемами, все равно, с какими — слабое здоровье, нехватка денег, далекие от совершенства отношения или снижение творческих способностей, — единственное, над чем я работаю с ними, — это ЛЮБОВЬ К СЕБЕ.

Полагаю, что когда мы действительно любим и принимаем себя такими, какие есть на самом деле, все в жизни складывается хорошо. Наше здоровье улучшается, мы зарабатываем больше денег, наши отношения становятся более гармоничными, а творческие способности полностью раскрываются. Создается впечатление, что все происходит без наших усилий, само собой.

Любовь и душевное равновесие, спокойная, доброжелательная и доверительная атмосфера делают вашу работу более организованной, отношения — более теплыми. В таком состоянии вы быстрее найдете новую работу, лучшее, чем было, жилье и даже сможете нормализовать свой вес. Известно, что любящие себя и свое тело люди никогда не обращаются плохо ни с собой, ни с другими.

Ваше душевное равновесие и самопризнание сейчас являются ключом к благотворным переменам во всех областях жизни в будущем.

По-моему, любовь к себе начинается с отказа от любой самокритики когда-либо и за что-либо. Критика и осуждение загоняют нас в рамки тех стереотипов мышления, которые мы пытаемся изменить. Понимание и доброта помогают выйти из этих рамок. Вспомните, ведь вы годами терзали себя самокритикой. И что из этого вышло? Попытайтесь жить в согласии с самим собой и посмотрите, что будет дальше.

В бесконечном потоке жизни,

частицей которого я являюсь,

все прекрасно, цельно, совершенно.

Я верю в Силу, более
могущественную, чем я.

Каждый день, каждый миг
она струится сквозь меня.

Я открываю себя мудрости
и признаю, что в Космосе существует
Единственный Разум.

Он задает все вопросы,
он предлагает все решения,
он исцеляет, творит, создает.

Я верю этой Великой Силе
и в этот Великий Разум и знаю:
то, что должно знать, открывается

мне, то, что должно иметь,

приходит ко мне в должное время,

в должном месте и в должной
последовательности.

В моем мире все прекрасно.

Часть 2

ЗАНЯТИЯ
С ЛУИЗОЙ

ГЛАВА I
В ЧЕМ ПРОБЛЕМА?

Не бойтесь заглянуть себе в душу.

Мое тело не функционирует.

Оно болит, кровоточит, ноет, давит, ломит, жжет, стареет, усыхает. Я плохо вижу, плохо слышу… Плюс многие другие ощущения и состояния, свойственные только вам. Но все это я уже слышала!

Отношения с окружающими меня людьми далеки от идеала.

Родственники или окружающие меня люди все время что-то требуют, не поддерживают меня, осуждают, не любят, докучают мне, не хотят, чтобы я беспокоил их, не дают возможности оставаться одному, третируют, никогда не слушают меня… Это все так знакомо. Вы можете добавить что-то еще?

Мои финансовые дела плачевны.

Доходов нет, если они и появляются, то очень редко, денег никогда не хватает, они утекают сквозь пальцы быстрее, чем приходят; мои доходы не позволяют вовремя оплачивать счета… Плюс то, что вы можете придумать сами. По-моему, вы и я где-то уже это слышали?

Моя жизнь не ладится.

Я никогда не делаю того, что хотелось бы. Никому не могу угодить. Не знаю, чего хочу. Мои желания и потребности игнорируются. Я все делаю только в угоду им. Меня всячески унижают и третируют. У меня нет таланта. У меня ничего не получается. Я всегда откладываю дела на потом. Мне просто не везет… Не правда ли, все это до боли знакомо?

Когда бы я ни спросила своего пациента, как у него (нее) идут дела, всегда получаю один из вышеприведенных ответов, а иногда сразу несколько. Люди обычно убеждены, что знают свои проблемы. Но мне-то известно, что эти жалобы — всего лишь внешнее проявление их образа мыслей, их психологического настроя. Под ними скрыты другие проблемы, более глубокие, являющиеся базисом всех внешних проявлений.

Я внимательно прислушиваюсь к речи собеседников, к словам, которые они употребляют, и задаю несколько вопросов, которые считаю главными:

Что происходит в вашей жизни?

Как вы себя чувствуете?

Как зарабатываете на жизнь?

Любите ли вы свою работу?

Каково ваше финансовое положение?

Какова ваша личная жизнь?

Чем закончился ваш последний роман?

А предпоследний?

Расскажите мне вкратце о своем детстве.

Беседуя с пациентами, я наблюдаю за их мимикой, позой, которую они принимают, но основное внимание уделяю их словам. Известно, что мысли и слова определяют наше будущее. Слушая, как и что говорит человек, я без труда могу понять причину его конкретных проблем. Ведь наши слова отражают наши скрытые мысли. Иногда слова, употребляемые пациентами, не согласуются с поступками, о которых они рассказывают. Тогда мне ясно, что пациенты либо не в курсе реальных событий, либо лгут мне. Одно из этих предположений и является отправным пунктом нашей работы.

УПРАЖНЕНИЕ «Я ДОЛЖЕН»

Я даю пациентам лист бумаги, ручку и прошу написать вверху заголовок: «Я должен».

Затем предлагаю в пяти или шести вариантах закончить эту фразу. Некоторые затрудняются даже начать упражнение, в то время как других нелегко остановить. Когда все ответы написаны, я прошу пациентов зачитать их вслух по порядку, начиная словами «Я должен…». После каждого ответа спрашиваю: «Почему?»

Ответы, которые я получаю, интересные и откровенные. Они звучат примерно так: «Моя мать сказала, что я должен», «Потому что боюсь», «Потому что я должен быть безупречным», «Потому что я должен каждый день так поступать», «Потому что

> *Любить себя —*
> *означает привносить чудеса*
> *в свою жизнь.*

я слишком ленивый (мал ростом, высокий, чересчур полный, слишком худой, неразговорчивый, очень некрасивый, совсем никчемный и т. д.)».

Ответы показывают, что эти люди участвуют в формировании своего мнения, которое лимитирует их поведение.

Не комментируя ответы, я в конце занятия беседую с пациентами на тему «Глагол «ДОЛЖЕН».

Я уверена, что этот глагол — одно из самых, если так можно выразиться, разрушительных слов в нашем языке. Каждый раз, произнося его, мы, в сущности, говорим неправильно. Мы либо сейчас ошибаемся, либо когда-то сделали ошибку, либо собираемся ее совершить. Не думаю, что нам нужны новые «ошибки» в жизни. У нас должен быть более свободный выбор. Будь моя воля, я бы совсем изъяла из словаря глагол «должен», заменив его выражением «Я бы мог», потому что оно дает нам шанс не совершать ошибок.

Затем я прошу своих собеседников прочитать упражнение, фразу за фразой, еще раз, начиная их словами: «Если бы я действительно хотел, я бы мог…». В этом случае все ответы предстают в новом свете.

Когда упражнение выполнено, я прошу зачитать его и после каждого предложения мягко, ненавязчиво спрашиваю. «А почему не сделали?» Вот какие ответы я услышала: «Я не хочу», «Я боюсь», «Я не знаю, как», «Потому что я плохой» и т. д.

Выясняется, что некоторые пациенты годами укоряли себя за поступки, совершенные против своей воли, или осуждали себя за невоплощенные планы и мечты. Очень часто они поступали так, следуя советам или указаниям других людей. Теперь, осознав это, они могли, выполняя мое упражнение, запросто вычеркнуть эту фразу из списка с глаголом «должен». Какое облегчение они сразу чувствовали!

Посмотрите на людей, которые годами против своего желания, только в угоду родителям заставляют себя делать карьеру. А все потому, что те считали: «Он должен стать зубным врачом или учителем». Как часто мы страдаем от сознания собственной неполноценности, потому что кто-то сказал, что, следуя примеру какого-то родственника, мы «должны» стать богаче, энергичнее или красивее.

А что бы вы могли с чувством облегчения вычеркнуть из своего списка с глаголом «должен»?

Выполнив упражнение, мои собеседники начинают другими глазами смотреть на свою жизнь. Они понимают, что поступали так или иначе вопреки своей воле и желанию, просто это считалось обязательным. Они опасались своим отказом обидеть кого-либо, старались угодить другим или считали себя «плохими».

Теперь проблема приобретает другие очертания. Друзья! Я начала свое занятие с попытки избавить вас от сознания своей «неправильности», своего несоответствия чьим-то стандартам.

Затем я обычно знакомлю вас со своей жизненной философией, изложенной в начале этой книги. Вот ее суть. Жизнь в действительности очень проста: мы получаем то, что отдаем другим. Вселенная полностью поддерживает убеждения, которые мы предпочитаем иметь. Еще в детстве под влиянием взрослых мы учимся оценивать себя. С годами наши убеждения, какими бы они ни были, отражаются в наших поступках. Существуют разные варианты психологического настроя. Наша сила — в настоящем моменте. Перемены могут начаться именно сейчас, сию минуту.

Любить себя!

Мне хотелось бы повторить еще раз, что независимо от того, какие проблемы волнуют пациентов и учеников, единственное, над чем я работаю с каждым, называется «Любить себя!» Любовь — чудодейственное средство. Любить себя — означает привносить чудеса в свою жизнь.

Я не имею в виду тщеславие, надменность или эгоцентризм, так как это не любовь, а всего лишь страх. Я говорю об уважении к себе, благоговении перед своим телом и разумом и благодарности к ним.

Что я подразумеваю под словом «любовь»? Это чувство огромной признательности, пронизывающее каждую клеточку моего сердца. Существуют различные объекты любви.

Наша сила — в настоящем моменте. Перемены могут начаться именно сейчас, сию минуту.

Я, например, люблю:

- жизнь во всех ее проявлениях;
- радость бытия;
- красоту, окружающую меня;
- другого человека;
- знания;
- сам мыслительный процесс;
- свое тело и его функции;
- зверей, птиц и рыб;
- все виды овощей;
- космос и все, что с ним связано.

А что вы можете еще добавить?

А теперь рассмотрим, как мы выражаем недовольство самим собой:

- мы постоянно ругаем и критикуем себя;
- мы плохо обращаемся со своим телом, злоупотребляя пищей, алкоголем и наркотиками;
- мы внушаем себе, что нас никто не любит;
- мы боимся потребовать приличную плату за свою работу;
- мы сами провоцируем болезни и боли;
- мы откладываем дела, которые могли бы принести нам пользу;
- мы живем в хаосе и беспорядке;
- мы делаем долги и обременяем себя платежами и расходами;
- мы заводим любовников и партнеров, которые унижают нас.

А как вы выражаете неудовлетворение собой?

Отрицание всего хорошего, что есть в вас, и есть нелюбовь к себе. Я вспомнила случай с одной пациенткой, которая носила очки. Однажды она избавилась от страха, мучившего ее всю жизнь. На другой день, проснувшись, она обнаружила, что очки стали ей мешать. Поглядев вокруг, она поняла, что ее зрение полностью восстановилось.

Тем не менее весь день она говорила себе: «Не верю, не могу поверить в это». В результате на следующий день ей снова пришлось надеть очки. Дело в том, что наше подсознание не воспринимает юмора, а пациентка не смогла поверить в чудесное исцеление.

Другим проявлением неудовлетворенности собой является чувство неполноценности.

Том был прекрасным художником. Он на заказ декоративно оформлял стены домов богатых клиентов. Тем не менее он всегда опаздывал с оплатой своих счетов. Первоначальная цена, назначаемая им, не соответствовала затраченным на работу усилиям и времени. Каждый, кто выполняет неординарную работу, вправе требовать любую оплату. Состоятельные люди любят платить большие деньги, так как в этом случае ценность приобретаемого ими возрастает.

Приведу следующие примеры.

Ваш партнер устал и раздражен. Вы спрашиваете себя: «Что я сделала не так?»

Он пригласил вас на свидание раз или два, а потом навсегда исчез. Вы думаете: «Я, наверное, ему не подхожу».

Ваш брак заканчивается разводом, и вы уверены, что потерпели крах.

Вы чувствуете себя неполноценным, так как ваше тело совсем не соответствует тем эталонам красоты, которые можно видеть в рекламе и журнале «Вог».

Вы не можете представиться, как положено, так как уверены, что недостаточно хороши для этого.

Вы боитесь интимной близости, не решаетесь завести серьезный роман, предпочитая редкие и случайные связи.

Вы не можете принимать решения, потому что уверены, что обязательно ошибетесь.

А как вы выражаете свое чувство неполноценности?

Совершенство ребенка

Как совершенны и очаровательны вы были в раннем детстве! Детям не надо стремиться к совершенству, они и есть само совершенство и ведут себя так, словно знают об этом. Они ощущают себя центром Вселенной, не боятся просить все, что захочется, и, не стесняясь, выражают свои эмоции: если ребенок сердится — вся округа знает об этом, он улыбается — и его улыбка освещает весь дом. Дети преисполнены любви и обладают удивительной смелостью.

Малыш может умереть без любви. С годами мы, взрослые, вынуждены учиться жить без этого чувства, но для ребенка это невыносимо. Дети любят свое тело, каждый орган, каждую частичку, включая даже экскременты, — они лелеют себя.

Вот и мы были такими. Но, взрослея, мы все больше прислушиваемся к мнению взрослых, которым свойственно чувство страха, и теряем свое былое очарование и совершенство.

Я никогда не верю пациентам, убеждающим меня, что они очень, ну очень непривлекательны. Моя задача — вернуть их в то время, когда они любили себя.

УПРАЖНЕНИЕ С ЗЕРКАЛОМ

Я прошу пациента поставить перед собой маленькое зеркало, посмотреть в него и, назвав себя по имени, сказать: «Я люблю и принимаю тебя таким, какой ты есть на самом деле».

Многим трудно выполнить это упражнение. Редко кто остается спокойным, а о радости или удовольствии и речи быть не может. Одни плачут или готовы вот-вот расплакаться, другие сердятся, преуменьшают свои достоинства, но есть и такие, которые уверяют меня, что не в силах выполнить упражнение. Один пациент даже швырнул зеркало и хотел убежать. Ему потребовалось несколько месяцев, прежде чем он смог обратиться к своему отражению.

Многие годы я, глядя в зеркало, только критиковала себя. Помню, я даже боялась смотреть себе в глаза. Но сейчас воспоминания о бесконечных часах, потраченных на выщипывание бровей в попытке сделать свое лицо хоть немного приятнее, забавляют и смешат меня.

Это простое упражнение с зеркалом многое объясняет. Менее чем через час я понимаю суть главной проблемы, порой скрывающейся под другой, видимой. Мы можем долго и упорно работать над этой внешней проблемой, и в ту минуту, когда, казалось бы, все уже налажено и отрегулировано, она вдруг

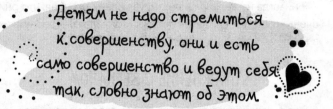

Детям не надо стремиться к совершенству, они и есть само совершенство и ведут себя так, словно знают об этом.

возникает где-нибудь еще. То, что мы считаем проблемой, на самом деле редко является таковой.

Одна моя пациентка была очень недовольна своим внешним видом, особенно зубами. Ходила от одного дантиста к другому, с грустью констатируя, что они делают ее еще более некрасивой. Она сделала себе пластическую операцию носа, которая оказалась неудачной. Что бы ни делал каждый специалист, результат лишь отражал представление этой женщины о своей непривлекательности. В действительности ее проблема заключалась не во внешнем виде, а в убеждении, что она нехороша собой.

У другой пациентки было ужасное дыхание — просто невыносимо находиться рядом с ней. Она готовилась стать пастырем, и внешне ее поведение выглядело достойным и благочестивым. Однако время от времени при мысли о том, что кто-то может угрожать ее карьере, ее душили вспышки гнева и зависти. Эти тайные мысли и подозрения отражались на ее дыхании. Порой, даже притворяясь любящей, она была отвратительна. Женщина сама угрожала себе.

Мальчику было 15 лет, когда мать привела его ко мне на прием. У подростка была болезнь Ходжкинса, и жить ему оставалось всего три месяца. Мать была в истерике, и по понятным причинам с ней было трудно найти общий язык. Но парень был умный, спокойный и страстно хотел жить. Он был готов сделать все, что я ему говорила, даже изменить образ мыслей и манеру говорить. Разведенные родители все время ссорились, и мальчик не имел представления о домашнем уюте.

Он мечтал стать актером. Стремление к славе, богатству превосходило его способность испытывать чувство радости. Он считал, что только известность принесет ему признание и богатство. Я научила мальчика ценить и любить себя, и он поправился. Теперь он уже взрослый и регулярно выступает на Бродвее. Как только он научился радоваться жизни и быть в ладу с собой, ему стали предлагать роли в спектаклях.

Проблема изменения веса являет собой еще один наглядный пример того, как мы тратим уйму энергии совсем не там, где нужно. Многие пациенты годами пытаются снизить свой вес, но все их старания тщетны. По их мнению, полнота — корень всех неприятностей, неудач и болезней. Я полагаю, что лишний вес — только внешнее проявление их тайн и скрытых проблем, таких как постоянная тревога, или страх, или необходимость в защите. Когда мы ощущаем страх, не чувствуем себя в безопасности или страдаем от комплекса неполноценности, то, как бы защищаясь, прибавляем в весе. Чувствовать себя виновным за каждый съеденный кусок, постоянно укорять себя за полноту и производить бесконечные подсчеты калорийности продуктов питания — бесполезная трата времени. Если не признать этого, то и через двадцать лет вы останетесь в том же положении, так как еще не начали работу над реальной проблемой. А все, что мы делали прежде, только нагнетало страх и усиливало чувство опасности, поэтому в виде защитной реакции мы прибавляли в весе.

Итак, я не хочу, чтобы вы акцентировали свое внимание на различных диетах, поскольку они не оправдывают себя. Единственная эффективная диета — умственная, то есть отказ от отрицательных мыслей. Я говорю пришедшим ко мне на прием: «Давайте на время отложим эту проблему в сторону. Сначала займемся другим».

Пациенты часто говорят, что недовольны собой, так как слишком полны или, как выразилась одна девушка, она «слишком округлая». Я объясняю им: причина в том, что они не любят себя. Радуйтесь жизни, уважайте себя, сохраняйте душевное равновесие, и вы с удивлением обнаружите, что ваша полнота стремительно исчезает.

Иногда пациенты сердятся, когда я объясняю им, как просто изменить свою жизнь. Возможно, они считают, что я их не понимаю. Одна женщина, расстроившись, сказала мне: «Я пришла к вам получить помощь в работе над диссертацией, а не учиться любить себя». Для меня было ясно, что ее главная проблема заключалась в большом неудовлетворении собой, что влияло на все сферы ее жизни, включая научную работу. До тех пор, пока она будет чувствовать эту неудовлетворенность собой, она нигде и ни в чем не добьется успеха.

Не выслушав меня до конца, пациентка ушла в слезах, но через год вернулась с той же проблемой, к которой прибавилось множество других. Некоторые люди не готовы изменить свою жизнь, и не надо осуждать их за это. Помните: все мы начинаем меняться в определенное время, в определенном месте и в определенной последовательности. Я, например, начала менять свой образ жизни после пятидесяти лет.

Суть реальной проблемы

Итак, наш пациент очень расстроился, взглянув на себя в маленькое безобидное зеркальце. Я улыбаюсь и говорю: «Хорошо, а теперь перейдем к реальной проблеме. Теперь мы можем убрать все, что мешает вам». Я рассказываю подробно о том, что значит любить себя и что, по моему убеждению, эта любовь начинается с полного отказа от самокритики.

Наблюдая за лицами людей, я спрашиваю, критикуют ли они себя. Их реакция на мой вопрос говорит мне о многом: «Да, конечно», «Не так часто, как делал это раньше», «Как же я изменюсь, если не буду критиковать себя?», «Разве не все критикуют себя?»

Я отвечаю: «Мы не говорим обо всех, мы говорим только о вас. Почему вы критикуете себя? Что с вами не так?»

Слушая их ответы, я составляю список, который очень похож на тот, с глаголом «должен». Пациенты считают себя слишком высокими, маленькими, полными, худыми, молчаливыми, старыми, ленивыми, молодыми, некрасивыми. (Интересно, что так отвечают даже самые красивые и обаятельные женщины.) Обратите внимание, как часто, почти всегда, мы слышим слово «слишком». И, наконец, мы приходим к главному выводу: «Я недостаточно хорош».

Ура! Наконец-то мы нашли корень проблемы. Они критикуют себя потому, что внушили себе мысль: «Я плохой». Пациенты всегда удивляются, как быстро мы приходим к этому выводу. Теперь мы можем не ломать голову над побочными эффектами, вроде лишнего веса, болезней, плохих отношений, финансовых проблем или снижения творческих способностей. Всю свою энергию нам нужно направить на удаление первопричины, а именно недовольства самим собой.

В бесконечном потоке жизни,

частицей которого я являюсь,

все прекрасно, цельно, совершенно.

Всевышний хранит и направляет меня.

Я не боюсь заглянуть себе в душу.

Я не боюсь оглянуться на прошлое.

Я не боюсь расширить свои

представления о жизни.

Я не просто личность, я —

прошлое, настоящее и будущее.

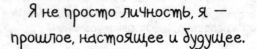

• • Теперь я хочу стать выше личного,
• чтобы познать великолепие бытия.

• Я очень хочу научиться любить себя.

В моем мире все прекрасно.

ГЛАВА II
В ЧЕМ КОРЕНЬ ПРОБЛЕМЫ?

Прошлое не властно над нами.

Итак, друзья, мы с вами обсудили многие ситуации и детально разобрались в том, что считали проблемой. А теперь займемся реальной проблемой — так, как я ее понимаю. Мы не удовлетворены собой, считаем себя недостаточно хорошими, следовательно, мало любим себя. С моей точки зрения, именно в этом и заключается реальная проблема. Поэтому предлагаю рассмотреть, на чем она основана и где ее корни.

Как произошло, что из малышей, знающих свое совершенство и безупречность окружающего мира, мы превратились в людей, обремененных тяжким грузом проблем и ощущающих себя недостойными любви и уважения?

В качестве примера возьмем розу. Сначала это был маленький бутон. Потом, превратившись в красивый цветок, она благоухала до тех пор, пока не опал последний лепесток. И все это время она была прекрасной, совершенной и непрерывно изменялась. То же происходит и с нами: мы всегда совершенны, прекрасны и непрерывно изменяемся. Мы стараемся как можно больше знать, понимать, как можно лучше использовать свои знания. Если будем и в дальнейшем следовать этому правилу, тогда и мысли наши изменятся.

Приведение мыслей в порядок

Теперь настало время вспомнить наше прошлое в подробностях, наши взгляды и убеждения, которые управляли нами тогда.

Некоторые пациенты считают эту часть очистительного процесса довольно болезненной, но это не всегда так. Прежде чем начать очищение, мы должны сделать ревизию своих мыслей.

Тщательно убирая комнату, вы всегда внимательно осматриваете ее и все вещи в ней. Некоторые вы любите, вытираете с них пыль или полируете, возвращая им былую красоту. Другие вещи нуждаются в ремонте, и вы возьмете это на заметку. Третьи больше никогда не пригодятся вам; значит, пришло время расстаться с ними. Старые газеты, журналы или одноразовую посуду можно спокойно выбросить в мусорную корзину, и не надо расстраиваться из-за этого.

Точно так же мы приводим в порядок свои мысли, и не стоит переживать из-за того, что от некоторых надо избавиться. Пусть они оставят нас так же легко, как если бы мы выбросили

Убеждена, что все мы совершаем путешествие в вечности и приходим на эту планету получить уроки, знания, необходимые для нашей духовной эволюции. Мы выбираем пол, цвет кожи и страну, где родиться, подыскиваем себе родителей, которые отразят наши убеждения.

остатки еды в мусорную корзину. Скажите, будете ли вы рыться во вчерашних остатках еды, готовя пищу на сегодня? Будете ли вы копаться в устаревших убеждениях, создавая основу для своего будущего?

Если какая-нибудь мысль или убеждение не идут вам на пользу, пусть они исчезнут! Ведь нет закона, по которому вы не вправе отказаться от прошлых, устаревших мнений.

Давайте поговорим о некоторых из них, мешающих нам полноценно жить, о так называемых «ограничивающих убеждениях», и посмотрим, откуда они произошли.

Убеждение, мешающее полноценной жизни: «Я недостаточно хорош».

Причина: отец, внушивший сыну, что он глуп.

Мой пациент хотел добиться успеха, чтобы отец мог гордиться им. Но, к сожалению, у него дела шли из рук вон плохо, за что его постоянно критиковали. А он очень обижался на это. Отец продолжал финансировать его коммерческую деятельность, однако неудачи преследовали парня. Со временем он даже привык к ним и вынуждал отца платить, платить и платить. Конечно, он стал самым большим неудачником...

Убеждение, мешающее полнокровной жизни: неумение любить себя.

Причина: желание заслужить похвалу отца.

Единственным желанием моей пациентки было стать похожей на отца. Они ни в чем не могли согласиться друг с другом и все время спорили. Ей хотелось услышать слова одобрения, однако он только критиковал ее. Все тело девушки изнывало от боли. Точно так же себя чувствовал и отец. Она не понимала, что ее раздражение и гнев порождают боль. То же самое можно сказать и об отце.

Убеждение, мешающее жить: «Моя жизнь в опасности».

Причина: запугивания отца.

Пациентка считала жизнь опасной, мрачной и суровой. Она почти никогда не смеялась, так как боялась, что потом обязательно случится что-то плохое. Ее воспитали, постоянно делая замечания: «Не смейся, а то они схватят тебя».

Убеждение, мешающее жить: «Я недостаточно хорош».

Причина: его бросили, им пренебрегали.

С этим пациентом было трудно беседовать, так как молчание стало его образом жизни. Он только что прекратил употреблять наркотики и алкоголь и считал, что он ужасен. Я узнала, что его воспитывала тетя, так как мать умерла, когда он был ребенком. Тетя редко разговаривала с ним, только изредка отдавала приказания, даже во время еды, поэтому он вырос в тишине. Так, молча, он проводил в своей комнате день за днем. Позднее его партнер также не отличался многословием, и большую часть времени они проводили в молчании. Потом друг умер, и он снова остался один.

УПРАЖНЕНИЕ «НЕГАТИВНЫЕ ВЫСКАЗЫВАНИЯ»

Для выполнения этого упражнения возьмите большой лист бумаги и составьте список всех замечаний и указаний, услышанных вами в детстве от родителей. Что, по их мнению, у вас было не так. Не торопитесь. Постарайтесь вспомнить как можно больше их негативных высказываний. Для выполнения этого упражнения обычно хватает получаса.

Мы всегда совершенны, прекрасны и непрерывно изменяемся.

Что ваши родители говорили о деньгах? О вашем теле? О любви и отношениях? Как они оценивали ваши творческие способности? Что прощали в вашем поведении? Какие их замечания ограничивали вашу жизнь, загоняя ее в узкие рамки, мешали вам полнокровно жить?

Если сможете, взгляните объективно на свой список и скажите себе: «Вот откуда появилось мое предубеждение!»

Теперь, друзья, возьмем другой лист бумаги и рассмотрим проблему внимательнее, глубже.

Какие еще негативные высказывания вы услышали в детстве?

От родственников_____

От учителей_____

От друзей_____

От представителей противоположного пола_____

От служителей церкви_____

Это упражнение выполняйте не спеша, отдавая отчет в своих чувствах, которые наполняют вас именно сейчас.

Все, что написано на этих двух листах бумаги, есть не что иное, как убеждения, от которых вам следует отказаться. Именно из-за них вы чувствуете неудовлетворение самим собой.

Представить себя ребенком

Как вы думаете, что сделал бы трехлетний ребенок, которого посадили посреди комнаты, накричали на него, называя глупым, грязнулей, неумехой и т. д., и которому надавали шлепков? Он бы молча и покорно сел в угол или залился горькими слезами. Да, он бы сделал или то, или другое, но в любом случае мы бы так никогда и не узнали о его способностях.

Другой эксперимент. Возьмем того же ребенка, приласкаем его и скажем, что мы очень любим его, нам нравится его личико, что он такой умный, сообразительный, так все хорошо делает. Это ничего, что он ошибается, несмотря ни на что, мы всегда будем с ним. И тогда вы будете приятно удивлены способностями, которые он проявит!

В душе каждого из нас живет такой же трехлетний ребенок, а мы все время покрикиваем на него и еще удивляемся, почему наша жизнь не ладится.

Хотели бы вы дружить с человеком, который постоянно критикует и осуждает вас? Возможно, с вами обращались так же несправедливо, как с этим ребенком, что очень печально. Но все это дела давно минувших дней, и если сейчас вы относитесь к себе так же критически, то это еще более вызывает сожаление. Вспомните несколько негативных высказываний, знакомых с детства. Как они соотносятся с вашими убеждениями, что у вас не все ладно? Они совпадают? Скорее всего, да. Мы строим свою жизнь, основываясь на детских впечатлениях и наказах взрослых. В детстве мы все хорошие, послушно исполняем указания взрослых и принимаем все, что они нам говорят, за чистую монету.

Было бы проще простого обвинять только родителей и чувствовать себя жертвами всю оставшуюся жизнь. Но согласитесь, это не принесет никакого удовлетворения, а наши проблемы так и останутся нерешенными.

Осуждение семьи

Осуждение — один из самых верных способов остаться с проблемой наедине. Осуждая других, мы отдаем всю свою энергию. Понимание происходящего дает возможность подняться выше жизненных обстоятельств и контролировать свое будущее.

Прошлое невозможно изменить, будущее определяется сегодня нашими мыслями и убеждениями. Во имя нашей свободы необходимо понять, что наши родители старались все делать как можно лучше с присущим им жизненным опытом. Они, как и мы, ощущали свою беспомощность, поэтому могли научить только тому, чему их самих когда-то научили.

Много ли вы знаете о детстве своих родителей, особенно в возрасте до десяти лет? Если это возможно, расспросите их о детских годах, и вам будет намного легче понять, почему они поступали именно так, а не иначе. Поняв причины их поведения, вы почувствуете жалость и сочувствие к ним.

Если же у вас нет такой возможности, постарайтесь представить родителей детьми. Это необходимо для вашей свободы. Вы не можете стать свободными, пока не освободите своих родителей и не простите их. Если требуете от них совершенства, то будете требовать его и от себя, а в результате останетесь несчастными всю жизнь.

Выбор родителей

Я согласна с теорией, что мы сами выбираем родителей. Уроки жизни, которые мы получаем, вполне возможно, соответствуют их слабостям и недостаткам.

Убеждена, что все мы совершаем путешествие в вечности и приходим на эту планету получить уроки, знания, необходимые для нашей духовной эволюции. Мы выбираем пол, цвет кожи и страну, где родиться, подыскиваем себе родителей, которые отразят наши убеждения.

Наш визит на эту планету подобен посещению школы. Если мы хотим стать косметологом, мы поступаем в школу косметологии, механиком — в школу механики, юристом — в юридическую школу. Родители, которых мы нашли себе, являются идеальной парой. Они эксперты в той области знаний, которую вы решили изучать. Став взрослыми, мы обычно осуждающе указываем пальцем на родителей и говорим: «Это вы во всем виноваты». Но я убеждена, что мы сами выбираем их.

Слушать других

В детстве наши старшие братья и сестры становятся божествами для нас. Когда они недовольны, то способны отшлепать нас или отругать. Они, вероятно, говорят так: «Я расскажу, как ты…» (внушение вины), «Ты еще маленький, не можешь это сделать», «Ты слишком глуп, чтобы играть с нами».

Школьные учителя также оказывают на нас огромное влияние. В пятом классе одна учительница заявила мне, что из-за своего высокого роста я никогда не смогу стать балериной. Я зря поверила ей и, отказавшись от своей мечты, упустила время и возможность сделать танцы своей профессией.

Поняли ли вы сейчас, что тесты проводились только с целью оценить ваши знания в заданный период, или, будучи ребенком, вы согласились на эту проверку, чтобы узнать себе цену?

В детстве наши друзья делятся с нами неверной информацией о жизни. Другие дети дразнят нас, оставляя в наших душах непреходящую боль. Когда я училась в школе, меня звали Лунни, и дети переделали мое имя в «лунатик» (в переводе с английского — «сумасшедшая, глупая»).

Соседи тоже влияли на нас постоянными своими замечаниями, а родители все время одергивали: «А что подумают соседи?»

Я предлагаю вспомнить других людей, которых вы уважали и к мнениям которых прислушивались. И, конечно, большую роль играли яркие и убедительные рекламные программы и объявления в печати и по телевидению. Все эти многочисленные продукты и товары продавались с большим успехом, так как реклама нам внушала: если не купим их, значит, мы «ничто» или ненормальные люди.

* * *

Мы собрались здесь, чтобы переступить границы наших прежних предубеждений. Мы здесь, чтобы познать наше величие и божественность независимо от того, что «они» говорили нам. Вам нужно преодолеть свои негативные убеждения, а мне — свои.

В бесконечном потоке жизни,
частицей которого я являюсь,
все прекрасно, цельно, совершенно.

Прошлое не властно надо мной,
потому что я хочу учиться и изменяться.

Я знаю, прошлое — необходимый этап,
пройдя который я оказался сегодня здесь.

Я хочу привести в порядок
свой Дом Разума.

Знаю, не важно, с чего я начну,
поэтому начинаю сейчас с самой

маленькой комнаты, так я скорее
достигну результата.

Я с нетерпением берусь за это,
потому что уверен: именно этот
опыт больше никогда не повторится.

Я очень хочу стать свободным.
В моем мире все прекрасно.

ГЛАВА III
ДЕЙСТВИТЕЛЬНО ЛИ ЭТО ТАК?

Истина есть неизменяемая часть меня.

Вопрос «Это действительно так?» имеет два ответа: «да» или «нет». «Да» — если вы убеждены в реальности происходящего, и «нет», если не верите этому. Стакан одновременно наполовину полный и наполовину пустой, в зависимости от того, как вы на это смотрите. Существуют, без преувеличения, миллиарды мыслей, которые вы можете выбрать.

Большинство из нас предпочитают такой образ мыслей, который был свойственен нашим родителям, но мы вовсе не обязаны продолжать эту традицию. Ни в одном законе не написано, что мы должны думать только так, а не иначе.

Во что бы я ни захотела верить, оно становится для меня реальностью, но наши мысли могут быть совершенно разными, так же как наши поступки и жизнь.

Контролируйте свои мысли

Вы прекрасно знаете, что наши мысли приобретают реальные черты. Если у вас случился финансовый крах, значит, где-то на каком-то уровне подсознания вы были убеждены, что не заслуживаете быть богатым. Или если уверены, что ничто хорошее не вечно, то, возможно, в глубине души считаете, что ничего не получаете от жизни, или, как я часто слышала от вас: «Я просто не могу выиграть».

Если вам кажется, что вы не способны налаживать нормальные отношения с людьми, то, скорее всего, вы внушили себе: «Никто меня не любит» или «Я недостоин любви». Может быть, вы опасаетесь, что кто-то будет властвовать над вами, как это было с вашей матерью, или вы считаете, что люди только причиняют вам неприятности.

Если у вас слабое здоровье и вы убеждены, что болезни преследуют вашу семью, или на вас очень действует погода, у вас, возможно, появляется мысль: «Я рожден, чтобы страдать» или «Одна неудача следует за другой».

Вы можете иметь и другие убеждения, о существовании которых даже не подозреваете. Поверьте, таких, как вы, много, большинство. И все видят только внешние обстоятельства жизни. Вы останетесь жертвой до тех пор, пока кто-либо не укажет вам на взаимосвязь жизненного опыта и мыслей.

Проблема	Убеждение
Финансовый крах	Я недостоин иметь деньги
Отсутствие друзей	Никто не любит меня
Неприятности на работе	Я недостаточно хорош
Желание угодить другим	Я никогда не поступаю так, как хочу

> ## Какова бы ни была ваша проблема, причина кроется в вашем стереотипе мышления, а его можно изменить!

Какова бы ни была ваша проблема, ее причина кроется в вашем стереотипе мышления, а любой стереотип можно изменить!

Проблемы, с которыми мы так упорно боремся и в которых постоянно барахтаемся, могут казаться совершенно реальными. Но независимо от того, каким бы трудным и запутанным ни было дело, которым мы заняты, — это только внешний, видимый результат нашего образа мыслей.

Если вы не знаете, какие убеждения создают ваши проблемы, то поступили совершенно правильно, начав читать мою книгу. Спросите себя: «Какие мои мысли создают эту ситуацию?»

Посидите спокойно, и ваш разум даст вам ответ.

Это всего лишь убеждение, которое вы восприняли в детстве

Некоторые наши убеждения позитивны и полезны. Они помогают нам в дальнейшей жизни, как, например: «Переходя улицу, посмотри по сторонам».

Другие полезны только в детстве, но по мере взросления мы отказываемся от них. «Не доверяй незнакомым людям» —

это может быть хорошим советом ребенку, но не взрослому, поскольку, следуя ему в дальнейшем, он обречет себя на одиночество и изоляцию от людей.

Почему мы редко спрашиваем себя, правда ли это? Например, почему я убежден, что мне трудно учиться?

Было бы правильнее эти вопросы сформулировать так: «Сейчас это верно для меня?», «Откуда появилось это убеждение?», «Верю ли я до сих пор тому, что сказал мне учитель первого класса?», «Станет ли мне лучше, если я откажусь от этого убеждения?»

Утверждения типа «Мальчики не плачут» и «Девочки не лазают по деревьям» приводят к тому, что мужчины скрывают свои эмоции, а женщины стесняются быть физически развитыми.

Если нам в детстве внушают, что окружающий мир ужасен и опасен, и все, что мы слышим вокруг, будет соответствовать этому внушению, то мы воспримем его как истину. То же самое можно сказать о таких советах: «Не доверяй незнакомым!», «Не выходи из дома ночью!» и «Люди обманут тебя».

И наоборот, если нас приучат к мысли, что мир прекрасен и безопасен, то мы будем смотреть на него с любовью и восхищением, легко усвоим такие истины: «Люди очень доброжелательны», «Миром правит любовь» и «Я всегда буду иметь то, в чем нуждаюсь».

Вас сызмальства научили говорить: «Это моя вина»? В таком случае вы всегда и во всем будете чувствовать себя виноватым и в конце концов превратитесь в вечно извиняющегося человека.

Если вы в детстве привыкли говорить: «Я не уверен», значит, вы всегда будете последним в любой очереди и чувствовать

себя обделенным. Точно такой случай произошел со мной в детстве, когда мне однажды не досталось ни одного кусочка торта (см. «О себе»). Вы даже будете ощущать себя невидимкой, так как другие просто не будут замечать вас. Под влиянием обстоятельств в детстве вы привыкли думать: «Никто не любит меня» и считайте, что одиночество — ваш удел. Если вам и удастся найти друга или завязать какие-то отношения, все это будет кратковременным.

В семье вас учили: «Этого не хватит». Тогда, я уверена, вам всегда будет казаться, что ваш буфет пуст, а вы сами будете в долгах как в шелках.

Один из моих пациентов вырос в семье, где считали, что все очень плохо и иначе быть не может. Его главным увлечением была игра в теннис. Однажды он повредил колено. Несмотря на лечение у многих докторов, парню становилось все хуже и хуже. Кончилось все плачевно: ему пришлось отказаться от своего хобби.

Другой мой пациент вырос в семье проповедника. С детства ему внушили, что он должен всем и во всем уступать. Все в этой семье всегда так и поступали. И теперь, помогая своим клиентам совершать выгодные сделки, он не имеет денег даже на карманные расходы. Из-за своего убеждения он всю свою жизнь стоит последним в очереди.

Если вы верите во что-то, оно кажется вам верным

Как часто мы говорим: «А я вот такой» или «А вот это так». На самом деле эти фразы означают, что нам кажется верным то, во что мы верим. Обычно наши убеждения являются мнением других людей, которых мы включили в свою систему убеждений.

Возможно, вы относитесь к тем людям, которые, выглянув в окно в дождливый день, восклицают с тоской: «Ох, какой отвратительный день!»

Но день не может быть отвратительным. Это просто дождливый день, и если одеться по погоде и изменить отношение к ней, вы можете даже получить удовольствие от дождя! Если же вы убеждены в обратном, то в дождь вы всегда будете в отвратительном настроении. Вы предпочтете сопротивляться, нежели плыть по течению существующих обстоятельств.

Если мы хотим сделать свою жизнь радостной и приятной, нужно думать о радостном; если хотим жить в любви и согласии, — думать о любви и т. д. Что бы мы ни подумали или ни сказали, это вернется к нам в подобной форме.

Каждый момент — новое начало

Повторяю: наша сила в настоящем моменте. Мы никогда не стоим на месте. Именно в этот момент в наших умах происходят все изменения.

Не важно, как долго мы негативно мыслили или болели, безразлично относились друг к другу или страдали от безденежья или неудовлетворенности самими собой, — мы сегодня можем начать изменяться. Больше нет необходимости считать свои проблемы главными. Теперь они, постепенно смягчаясь, исчезнут навсегда. И это в ваших силах. Запомните: только вы

Космический Разум всегда реагирует на ваши мысли и слова. Обстоятельства начинают меняться сразу же после вашего утверждения.

(и никто другой) имеет этот тип мышления. Только вы обладаете властью и силой над собой. Ваши мысли и убеждения в прошлом создали ситуацию именно на этот миг и все другие обстоятельства жизни, вплоть до этого момента. Все, во что мы сейчас хотим верить и о чем хотим думать и говорить, создает следующий момент, следующий день, месяц и год.

Да, мои дорогие! Исходя из своего многолетнего опыта, я могу дать вам прекрасный совет, но в вашей воле думать по-прежнему, вы можете отказаться измениться и барахтаться в своих проблемах. Вы, только вы властелин в своем мире! И вы получите именно то, о чем хотите думать.

Именно в данный момент начинается новый процесс. Каждый момент — начало нового движения вперед, именно здесь и сейчас.

Как прекрасно осознавать это! Наша сила в настоящем. Именно в этот миг начинается перемена.

Верно ли это?

Остановитесь на мгновение и поймайте свою мысль. О чем вы думаете именно сейчас? Если верно, что ваши сиюминутные мысли определяют дальнейшую жизнь, хотели бы вы, чтобы они обрели реальные черты? Если ваши мысли отражают гнев, тревогу, боль, страх или жажду мести, то как вы полагаете, в каком виде они вернутся к вам, реализовавшись?

Конечно, нелегко в бесконечно меняющемся потоке мыслей поймать одну-единственную, но вы уже сейчас можете начать наблюдение за собой, своими мыслями и своей речью. Если вы поймаете себя на том, что используете негативные слова, остановитесь. Вы можете перефразировать или опустить мысль, просто сказав: «Уйди вон!»

Представьте себя стоящим в очереди в кафетерии или буфете какого-нибудь фешенебельного отеля, где вместо обычных блюд вам предлагают блюда мыслей. Вы должны выбрать любые по своему вкусу. Эти мысли создадут ваш жизненный опыт.

Будет довольно глупо, если вы выберете мысли, создающие проблемы или вызывающие боль. Это равносильно пище, которая плохо влияет на ваше здоровье. Мы можем ошибиться раз или два, но вскоре точно определим, какая пища нам не подходит, и в дальнейшем постараемся остерегаться ее. Постараемся воздержаться от мыслей, которые порождают проблемы и боль.

Один из моих первых учителей, Рэймонд Баркер, часто говорил: «Когда существует проблема, надо не предпринимать что-либо, а знать».

Наше сознание создает наше будущее. Когда в нашей жизни происходит что-либо нежелательное для нас, то мы должны, воспользовавшись сознанием, постараться изменить ситуацию. И мы начинаем перестраивать ее в ту же секунду, когда меняем свои мысли о ней.

Моя давняя мечта — чтобы тема «Как мы мыслим» стала первым предметом, изучаемым в школе. Я никогда не понимала, зачем детям надо обязательно запоминать даты исторических битв. По-моему, это пустая трата умственной энергии. Вместо этого мы могли бы научить их очень важным вещам, например: «Как мы мыслим», «Как вести финансовые дела», «Как обеспечить свою финансовую безопасность», «Как уважать и ценить себя и не терять своего достоинства».

Вы можете представить себе, каким бы стало целое поколение взрослых, если бы в течение всего школьного курса их обучали этим предметам? Подумайте только, какое влияние оказали бы на людей эти истины!

Мы бы воспитали счастливых, обеспеченных людей, которые, мудро и правильно вложив деньги, обогатили бы экономику страны, имели бы со всеми прекрасные отношения и, отлично выполняя родительские обязанности, создали бы следующее поколение уверенных в себе и спокойных людей. Но вместе с тем каждый человек останется личностью со свойственной ему или ей созидательной способностью.

Давайте не будем терять времени и продолжим работу.

В бесконечном потоке жизни,

частицей которого я являюсь,

все прекрасно, цельно, совершенно.

Я не хочу больше верить в старые

ограничения и барьеры.

Я хочу видеть себя таким,

каким меня видит Космос:

прекрасным, цельным и совершенным.

Суть моего Бытия в том,
что я создан прекрасным, цельным
и совершенным.

Я буду всегда прекрасным,
цельным и совершенным.

Теперь я хочу прожить свою жизнь
с этим убеждением.

Я нахожусь в должном месте,
в должное время и совершаю то,
что должен совершить.

В моем мире все прекрасно.

ГЛАВА IV
ЧТО МЫ БУДЕМ ДЕЛАТЬ ТЕПЕРЬ?

Я смотрю на родителей и хочу измениться.

Решение измениться

Многие пациенты, узнав об этом пункте моей теории, ужасаются тому, что мы называем неприятностями жизни, вскидывают вверх руки и сдаются. Другие — сердятся на себя или на жизнь и тоже сдаются.

Под словом «сдаются» я подразумеваю: «Все это безнадежно: невозможно что-либо изменить, так зачем же пытаться?» или «Оставьте все, как есть». Вы, по меньшей мере, знаете, как справиться с этой болью. Да, она вам не нравится, но вы уже привыкли к ней и надеетесь, что хуже не будет.

Но для меня пребывать постоянно в состоянии раздражения и гнева — равносильно тому, что быть посаженной в угол с бумажным колпаком на голове, который в виде наказания надевается ленивому ученику. Не кажется ли вам все это знакомым? В вашей жизни что-то происходит — вы раздражаетесь. Появилась новая ситуация — вы опять вне себя, то есть состояние раздражительности и гнева не покидает вас никогда. Что же хорошего выйдет из этого?

По-моему, глупо и бесполезно все время сердиться. Это пустая трата времени. Кроме того, это значит, что вы не хотите понять и принять жизнь в новом, другом ракурсе.

Было бы намного полезнее спросить себя: «Каким образом я создаю так много ситуаций, раздражающих меня?»

Какие ваши убеждения порождают срывы и разочарования? Какие флюиды испускаете вы, что они вызывают у других людей желание рассердить вас? И почему вы убеждены, что для того чтобы добиться своего, вы должны раздражаться?

Помните: все, что вы отдаете другим, возвращается к вам. Чем чаще вы даете выход своему раздражению, тем больше создаете ситуации, раздражающие вас. Не правда ли, очень похоже на отбывание наказания в углу?

А теперь я хочу спросить: прочитав этот параграф, вы опять почувствовали раздражение, а может быть, рассердились? Прекрасно. Этого я и добивалась. Мои слова должны были задеть за живое, чтобы именно сейчас пробудить в вас желание перемен.

Я хочу измениться

Хотите узнать, насколько вы упрямы? Предложите себе идею: хочу измениться. Все мы мечтаем о лучшей жизни, но сами-то не предпринимаем конкретных шагов в этом направлении. Мы бы предпочли, чтобы изменились «они» (обстоятельства жизни), а не мы. Но в первую очередь мы должны перестроиться сами: поменять свой образ мыслей, манеру говорить и выражать свои эмоции. Только после этого произойдут перемены и вне нас.

Это и есть наш следующий шаг. Мы уже знаем, какие проблемы волнуют нас и как они возникли. Теперь необходимо, чтобы появилось желание перемен. Я всегда отличалась упрямством. Даже теперь, после многолетней работы над собой, когда хочу в чем-то изменить свою жизнь, упрямство

> **Моя система питания очень проста: я ем все, что растет на земле. Если не растет — не ем.**

вновь и вновь заявляет о себе, и я сопротивляюсь перемене. Временами становлюсь слишком уверенной в своей правоте, сердитой и замкнутой.

Да, это все еще случается, но я знаю, что бью по важному пункту процесса перемен. Приняв решение избавиться еще от какого-то убеждения, я еще больше углубляюсь в свое сознание. Каждый старый пласт мышления должен быть заменен новым. Одни пласты легко поддаются, другие — нет. Убрать их — все равно что пытаться перышком поднять тяжелый валун. Чем больше я цепляюсь за устаревшее убеждение или мысль, тем более осознаю, как важно для меня избавиться именно от него.

Но все это постигается на собственном опыте намного быстрее, чем я научу вас.

Я полагаю, что многие талантливые педагоги произошли не из благополучных, а из несчастных семей, переживших много страданий и боли. Только пройдя через эти испытания и избавившись от пластов устаревших убеждений, они смогли помочь другим. Большинство хороших учителей постоянно работают над собой, удаляя один за другим ограничительные барьеры сознания. Это становится главным занятием в их жизни.

Теперь, обнаружив в себе что-то еще, требующее изменения, я не раздражаюсь и не внушаю себе, что я плохая, а спокойно воспринимаю эту необходимость. Это и стало главным отличием в моих методах работы в прошлом и настоящем.

Уборка в доме

Работа, которую я сейчас провожу над собой, чем-то похожа на уборку в доме. Я осматриваю все уголки своего разума, все мысли и убеждения. Некоторые люблю, поэтому оставляю их и делаю более полезными. Другие требуют перестановки и небольших изменений. Третьи — за ненадобностью выбрасываю как мусор.

И совершенно не обязательно раздражаться из-за этого и чувствовать себя «плохой».

УПРАЖНЕНИЕ «Я ОЧЕНЬ ХОЧУ ИЗМЕНИТЬСЯ»

Для этого используем аффирмацию: «Я очень хочу измениться». Как можно чаще повторяйте ее. Произнося эти слова, можете прикоснуться к горлу, которое олицетворяет центр энергии перемен в нашем организме. Как только вы дотронетесь до горла, в вашем сознании начнется преобразовательный процесс.

Вам нужно настроить себя на возможные перемены в жизни. Запомните: именно та сфера жизни, где вы не хотите перемен, в первую очередь нуждается в них. «Я очень хочу перемен».

Космический Разум всегда реагирует на ваши мысли и слова. Обстоятельства начинают меняться сразу же после вашего утверждения.

Есть много методов изменить себя

Работая над собой, вы можете пользоваться не только моими идеями и советами. Существует множество других, не менее полезных методов.

Подумайте о некоторых из них. Я имею в виду духовный, психический и физический. Есть также холистический, воздействующий на тело, сознание и дух человека. Вы можете начать с одного способа, постепенно включая другие. Одни пациенты начинают с психического метода, одновременно участвуют в семинарах или применяют лечебные средства. Другие сочетают духовные способы с медитацией (или молитвами).

Когда вы наводите порядок в доме, не имеет значения, с какой комнаты вы начнете, не так ли? Поэтому послушайте мой совет: начните с того метода, который вам больше всего нравится. Остальные придут сами.

Если люди, питающиеся как попало, начинают пользоваться духовным (спиритуалистическим) методом, то часто приходят к выводу, что едят неправильно. Под влиянием литературы и семинаров они осознают, что их внешний вид и ощущения зависят от продуктов, употребляемых ими в пищу.

Я не могу дать вам исчерпывающего совета о питании, поскольку поняла, что каждая система подходит одним и не подходит другим. У меня есть несколько хороших местных практикующих специалистов в области холистики. Когда я вижу, что пациент нуждается в совете, связанном с питанием, то обычно направляю его к этим специалистам. Это та область жизни, где каждый человек должен найти наиболее подходящий для себя метод или получить консультацию у специалиста.

Многие книги о питании написаны авторами, которые были больны и выработали свою систему питания и решили поделиться с каждым своим открытием. Но не все люди одинаковы.

Например, макробиотика и натуропатия являются двумя совершенно противоположными системами. Приверженцы натуропатии никогда ничего не варят и не жарят, редко едят хлеб или зерновые и стараются не употреблять в пищу одновременно фрукты и овощи. Кроме того, они никогда не применяют соль. Сторонники макробиотики, наоборот, готовят разные блюда (жарят, варят), пользуются солью и имеют различные системы комбинирования продуктов питания. Обе системы широко применяются, обе помогли исцелить множество людей, но ни одна из них не подходит абсолютно всем.

Моя система питания очень проста: я ем все, что растет на земле. Если не растет — не ем.

Советую вам осознанно подходить к питанию. Это равносильно контролю над своими мыслями. Кроме того, питаясь рационально, мы можем научиться быть внимательными к своему телу и сигналам, которые оно подает нам.

Избавление от негативных мыслей, сопровождающих нас почти всю жизнь, по своей сути равнозначно переходу к рациональной программе питания после многолетнего игнорирования элементарных правил сочетания продуктов. Но и в том, и в другом случае у вас может возникнуть кризис. Как только начнете правильно питаться и ваш организм будет избавляться от токсических веществ, ваше самочувствие на один-два дня может ухудшиться. То же самое происходит, если вы решите изменить свой образ мыслей. Сначала у вас создается впечатление, что жизненные обстоятельства ухудшились.

Вспомните праздничный обед на День благодарения. Все вкусно поели, а теперь надо вымыть сковородку, на которой жарилась индейка. Сковородка вся обгорела и покрылась пятнами жира, поэтому на некоторое время вы замачиваете ее в горячей воде с мылом, а потом начинаете чистить. Ох, какую же грязь вы разводите! Кажется, сковородка стала грязнее, чем была.

Но если вы продолжаете ее мыть и чистить, то вскоре она станет чистой и блестящей, совсем как новая!

С нашими мыслями, которые мы хотим «почистить», происходит то же самое. Поэтому продолжайте работать с новыми аффирмациями, и скоро вы окончательно избавитесь от старых, лимитирующих вас стереотипов мышления.

УПРАЖНЕНИЕ «ЖЕЛАНИЕ ИЗМЕНИТЬСЯ»

Итак, мы приняли решение измениться и будем пользоваться любым подходящим способом или всеми сразу. Разрешите описать один из них, которым я пользуюсь сама и в работе с пациентами.

Во-первых, посмотрите в зеркало и скажите себе: «Я очень хочу измениться».

Заметьте, какие у вас при этом возникают ощущения: если вы колеблетесь, или сопротивляетесь, или просто не хотите измениться, спросите себя: «Почему? За какое старое убеждение я держусь?» Пожалуйста, не браните себя за это, только запомните свою реакцию. Держу пари, что именно это убеждение приносило вам больше всего неприятностей. Я хотела бы знать, откуда оно появилось. А вы знаете это?

Знаете вы или нет — это не имеет значения, давайте постараемся избавиться от этой негативной мысли. Для этого снова подойдите к зеркалу и, дотронувшись до горла, повторите громко десять раз подряд фразу: «Я хочу избавиться от сопротивления».

Работа с зеркалом очень эффективна. Еще в детстве мы получили много негативной информации от людей, которые смотрели нам прямо в глаза, а возможно, и грозили пальцем. И сейчас всякий раз, глядя на себя в зеркало, мы говорим себе что-нибудь плохое или критикуем свой внешний вид, свое поведение. Посмотреть себе прямо в глаза и сказать себе что-то хорошее — кратчайший путь к получению результатов в работе с аффирмациями.

В бесконечном потоке жизни, частицей которого я являюсь, все прекрасно, цельно, совершенно.

Теперь я хочу спокойно и объективно взглянуть на свои устаревшие представления и изменить их.

 66

Я способен к учебе.

Я могу научиться.

Я хочу измениться.

Я хочу получить удовольствие от этого.

И если узнаю, что мне надо избавиться

еще от какого-то убеждения,

буду радоваться, словно нашел клад.

Я вижу и чувствую, как изменяюсь

с каждым мгновением.

Мысли больше не властны надо

мною.

Я обладаю силой в этом мире.

Я хочу быть свободным.

В моем мире все прекрасно.

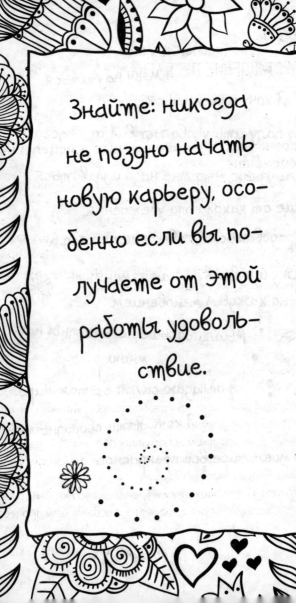

Знайте: никогда не поздно начать новую карьеру, особенно если вы получаете от этой работы удовольствие.

ГЛАВА V
СОПРОТИВЛЕНИЕ ПЕРЕМЕНАМ

Я живу в ритме и потоке вечно меняющейся жизни.

Осознанность — первый шаг к исцелению и переменам

Чтобы исправить ситуацию, которая беспокоит нас, нужно понять, какое глубоко укоренившееся убеждение вызвало ее к жизни. Возможно, мы слишком часто думаем об этой ситуации и жалуемся на нее. В результате мы концентрируем на ней все внимание и оказываемся тесно привязанными к ней. Для того чтобы найти новые пути выхода из этой ситуации, мы привлекаем друзей, наставников, коллег или обращаемся к литературе.

Мое пробуждение началось со случайно оброненной фразы друга о том, что его пригласили на какое-то собрание. Он не пошел, но что-то подсказало мне посетить это мероприятие. Это незначительное событие стало первым шагом на пути моей эволюции. Всю значимость этого шага я поняла несколько позже. Часто на первом этапе обучения мы считаем такой подход неразумным, а то и просто вздором. Возможно, он кажется нам слишком легким и неприемлемым. Мы не хотим изменяться, сопротивляемся и даже сердимся при одной мысли о необходимости перемен.

Я говорю своим пациентам и ученикам, что любая их реакция показывает: они уже включились в исцеляющий процесс, хотя для окончательного результата потребуется довольно много времени. Истина состоит в том, что процесс начинается в тот момент, когда в нашем сознании возникает мысль о необходимости перемен.

Нетерпение представляет собой другую форму сопротивления: это отказ учиться и изменяться. Требуя коренных изменений прямо сейчас, мы не даем себе возможности и времени научиться решать проблемы.

Приведу простейший пример.

Если вы сидите в одной комнате и хотите перейти в другую, то для этого вам нужно встать и идти шаг за шагом в нужном направлении. Сидя без движения в своем кресле, вы не попадете в другую комнату. То же самое и с вашей проблемой. Если вы хотите избавиться от нее, но ничего не собираетесь для этого предпринимать, это только осложнит решение.

Теперь пришло время осознать всю ответственность за ситуацию, которую создали мы сами. Я не имею в виду вашу вину или недовольство собой. Мы должны осознавать, что обладаем силой внутри нас, которая преображает наши мысли в наш жизненный опыт. В прошлом мы, не подозревая об этом, использовали эту силу для создания нежелательных для нас ситуаций. Но тогда мы не отдавали себе отчета в своих поступках. Теперь, понимая свою ответственность, мы научимся сознательно, для своего блага пользоваться этой силой. Часто, когда я предлагаю своим пациентам решение проблемы, новый метод подхода к ней или прощение человека, имеющего к этой проблеме прямое отношение, то вижу, как у них в гневе сжимаются кулаки и зубы. Сопротивление налицо, и я понимаю, что попала в точку.

Нам всем многому надо учиться. Самое трудное — занятия и уроки, которые мы выбрали сами. Если все идет гладко, это не учеба. Значит, это нам уже известно.

Не бойтесь учиться

Представьте себе, что вам предстоит труднейшая работа, но вы не хотите ее делать, сопротивляетесь ей. Значит, на данный момент это самый важный для вас урок. Перестаньте противиться и позвольте себе научиться тому, в чем вы нуждаетесь. Вам будет легче сделать следующий шаг. Не поддавайтесь лени, не позволяйте себе сопротивляться переменам. Мы с вами можем работать в двух направлениях:

1) просто наблюдать за своим сопротивлением;

2) менять свой образ мыслей.

Понаблюдайте за собой, посмотрите, какие формы принимает ваше нежелание что-либо менять в себе, и идите вперед.

Уловки, к которым мы прибегаем

Наши действия часто отражают сопротивление или нежелание что-либо делать. В чем они могут заключаться? Мы можем перевести разговор на другую тему, уйти из комнаты, пойти в ванную, опоздать, заболеть. Можно медлить с работой, занявшись чем-то другим, потратив время зря, глядя в сторону, например в окно, перелистывая журналы. Некоторые для этого часто едят, пьют или курят, завязывают новые отношения с людьми или порывают

 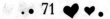

> Я помогаю пациентам, которые сами ко мне приходят, но оставляю в покое своих друзей.

с ними, провоцируют аварии машин, электробытовых приборов, канализации и т. д.

Предположения

Часто, оправдывая свое сопротивление, мы ссылаемся на других и заявляем, что из этого ничего хорошего не выйдет: «Мой муж (жена) этого не поймет», «Для этого мне придется изменить свою индивидуальность», «Только сумасшедшие ходят к врачам», «Им со мной не справиться, когда я сержусь», «Они не могут мне помочь в решении моей проблемы», «Мой случай совершенно особый», «Я не хочу их тревожить», «Все образуется само собой», «Никто так не делает».

Убеждения

Мы выросли с убеждениями, ставшими препятствием для наших перемен. Вот некоторые из них: «Просто это неправильно», «Будет плохо, если я так поступлю», «Обычно мужчины (женщины) так не делают», «В моей семье это не принято», «Любовь не для меня», «Туда так далеко ехать», «Очень много работы», «Это безумно дорого», «Это займет слишком много времени», «Не верю в это», «Я не такой человек».

Они

Мы отдаем нашу силу другим и таким образом оправдываем свое сопротивление изменениям. Обычно мы говорим так: «Господь этого не одобрит», «Я жду благоприятного расположения звезд», «Здесь неподходящая обстановка», «Они не разрешат мне измениться», «У меня нет хорошего учителя», «Мой врач против этого», «После работы не могу найти для этого время», «Не хочу быть очарованным ими. Это они виноваты», «Сначала они должны измениться сами», «Как только я получу..., я сделаю это», «Вы (они) не понимаете (не понимают)», «Я не хочу причинить им вред», «Это против моего воспитания, религиозных и философских убеждений».

Каждый из нас имеет собственное представление о своей внешности, которое использует как барьер или отказ от изменений.

Оказывается, мы слишком старые (молодые; полные; худые; маленького роста; высокие; ленивые; сильные; слабые; молчаливые; красивые; бедные; никчемные; легкомысленные; серьезные; самодовольные).

Не кажется ли вам, что список слишком велик?

Тактика отсрочки

Поговорим о методах, которые мы применяем, чтобы оттянуть начало работы. Наше сопротивление иногда принимает форму отсрочки. Мы оправдываем себя так: «Я сделаю это позже», «Я не могу сейчас об этом думать», «Сейчас у меня нет времени», «Это оторвет меня от моей работы», «Да, это хорошая идея, но я сделаю это в другой раз», «Мне так много нужно сделать», «Я подумаю об этом завтра», «Как только я разделаюсь с этим…», «Как только вернусь из этой поездки…», «Сейчас не время», «Слишком поздно (или еще рано) начинать».

Отказ

Следующие фразы выражают отказ от каких-либо перемен: «У меня все в порядке», «Ничего не могу поделать с этой проблемой», «Последнее время у меня все было отлично», «Что хорошего принесет мне это изменение?», «Если не обращать внимания на эту проблему, может быть, она разрешится сама собой».

Страх

Страх, а именно боязнь неизвестности, является, пожалуй, самой главной причиной сопротивления переменам. Список уловок может быть очень длинным. Посмотрите сами: «Я еще не готов», «Я могу провалиться», «Они могут меня отвергнуть», «А что подумают соседи?», «Я боюсь рассказать мужу (жене)», «Мне будет обидно выслушать это», «Возможно, мне нужно измениться», «Возможно, это будет стоить больших денег», «Я лучше умру первый (или лучше сначала разведусь)», «Я не решаюсь выразить свои чувства», «Я не хочу об этом говорить», «У меня нет больше сил с этим бороться», «Кто знает, где я могу умереть», «Я могу потерять свою независимость», «Это так трудно», «Сейчас я испытываю финансовые проблемы»,

«Я могу поранить спину», «Я не стану совершенным», «Я могу потерять друзей», «Я никому не верю», «Это может повредить моему имиджу», «Я недостаточно хорош».

Этот список можно продолжать до бесконечности. А вы не пользуетесь такими отговорками, оправдывая свое нежелание или отказ что-то делать?

А теперь вам задание.

Я приведу вам два примера из своей практики. Попробуйте определить, в чем в обоих случаях выразилось сопротивление пациентов.

Ко мне на прием пришла пациентка с жалобой на многочисленные боли. Она пережила три автокатастрофы, в результате у нее были повреждены спина, шея и колено. Она опоздала на прием, так как заблудилась и попала в пробку.

Пациентка непринужденно рассказала обо всех своих проблемах, но как только я сказала: «Разрешите мне кое-что у вас спросить», тут такое началось! Ее сразу же стали беспокоить контактные линзы, она вдруг захотела пересесть в другое кресло, затем ей понадобилось пойти в туалет. До конца занятия я так и не смогла ее заставить выслушать мои вопросы.

Вы поняли эту ситуацию? Правильно: все это было проявлением сопротивления. Пациентка не была готова распроститься с прошлым и исцелиться. Как мне стало известно, ее сестра тоже дважды получила травму спины. То же самое произошло и с ее матерью.

Другой пациент был хорошим актером, мимом, работающим на улице. Он хвастался, как ловко обманывал других, особенно студентов, и как умел вовремя улизнуть с украденным. Тем не менее он всегда был без денег, по крайней мере на месяц задерживал квартплату, у него даже часто отключали телефон. Одет он был неопрятно, работал от случая к случаю. Его мучили боли во всем теле, а личная жизнь так и не сложилась.

По его словам, он не собирался прекращать обманывать людей, пока в его жизни не появится что-нибудь хорошее. Конечно, ничего хорошего у него не могло появиться, так как он не отказывался от своей дурной привычки. Значит, сначала ему нужно было с ней расстаться.

Что вы думаете об этой ситуации? Вы правы: сопротивление пациента выразилось в том, что он не был готов распрощаться со старыми привычками.

Оставьте в покое своих друзей

Очень часто, вместо того чтобы работать над собой, мы стремимся изменить кого-то из своих друзей. Это тоже один из видов сопротивления.

В первые годы практики у меня была пациентка, которая постоянно просила меня навестить ее друзей, находящихся в больнице. Вместо того чтобы просто послать им цветы, она хотела с моей помощью решить их проблемы. Я приезжала к ее больным подругам с магнитофоном, вызывая их изумление, так как они не знали, зачем я здесь и что намереваюсь с ними делать. Так продолжалось до тех пор, пока я не поняла: нельзя работать с людьми, которые сами не проявляют желания со мной встретиться.

Иногда пациенты приходят ко мне просто ради интереса. Или оказывается, что их визит ко мне заранее оплачен бо-

лее состоятельными людьми. Но это, как правило, ни к чему не приводит, и эти люди редко возвращаются ко мне.

Мы часто хотим поделиться радостью с другими. Но, возможно, друзья не в состоянии разделить нашу радость и наши взгляды на данную ситуацию, так как сами не готовы к необходимым переменам. Более того, это может нас поссорить. Я помогаю пациентам, которые сами ко мне приходят, но оставляю в покое своих друзей.

УПРАЖНЕНИЕ «РАБОТА С ЗЕРКАЛОМ»

Зеркало отражает наше отношение к самим себе. Оно ясно показывает, где и в чем нам нужно измениться, чтобы сделать свою жизнь полной радости и гармонии.

Я советую всем, проходя мимо зеркала, посмотреть себе в глаза и сказать что-нибудь приятное. Самый эффективный способ работы с аффирмациями — произносить их громко, глядя в зеркало: так вы моментально почувствуете, сопротивляетесь вы или нет. Если да, то надо как можно быстрее найти способ избавиться от этого недостатка. Было бы прекрасно, если бы вы использовали зеркало. Обращаться к нему надо как можно чаще, произнося аффирмации. Проверьте, в чем вы сопротивляетесь, а в чем открыты и готовы работать над собой.

Посмотрите в зеркало и скажите: «Я хочу измениться». Обратите внимание на свою реакцию. Если вы колеблетесь или сопротивляетесь, спросите себя: «Почему?» За какие старые убеждения вы продолжаете цепляться?

> **Ключ к успеху — желание распрощаться с прошлым, с устаревшими стереотипами. В этом весь секрет.**

Но не надо себя ругать. Просто отметьте, какая мысль или фраза в этот момент всплыли в вашей памяти. Именно они и доставляют вам самые большие неприятности.

Если после работы с аффирмациями окажется, что ничего не происходит и не меняется, то легче всего заявить: «О, это бесполезно». В действительности же это означает, что необходимо предпринять что-то еще, прежде чем произносить аффирмации.

Повторяющиеся стереотипы отражают наши потребности

Каждая наша привычка, каждый вновь и вновь повторяющийся стереотип указывает на внутреннюю потребность. А она, в свою очередь, соответствует нашим убеждениям.

Какая-то внутренняя потребность приводит к полноте, плохим отношениям, неудачам, курению и любым другим проблемам, с которыми нам приходится сталкиваться.

Сколько раз мы обещали себе: «Никогда больше не буду этого делать!» Но еще не вечер, а мы уже съели кусочек торта, выкурили сигарету, обидели любимого человека и т. д. Потом сердито говорим себе: «У меня нет силы воли, я недисциплинированный человек. Я просто слабохарактерный».

Все это усугубляет чувство вины, которое постоянно нас преследует.

На самом деле эта проблема не имеет ничего общего ни с силой воли, ни с дисциплиной.

От чего бы мы ни пытались избавиться, это всего лишь симптом, внешний эффект и ничего более. Бесполезно устранять симптом, не искоренив причины, порождающей его. Как только мы теряем контроль над собой, ослабляем силу воли или дисциплину — симптом возникает вновь.

Стремление избавиться от потребности

Я часто говорю пациентам: «У вас есть какая-то потребность в этой ситуации, иначе она бы не существовала. Давайте постараемся выработать в себе стремление избавиться от потребности. Не будет ее — пропадет желание курить, переедать и т. д., то есть исчезнет любой другой отрицательный стереотип».

В этом случае первая аффирмация звучит так: «Я хочу избавиться от потребности сопротивляться…» Скажите себе: «Я хочу перестать сопротивляться своей потребности» (будь то головная боль, излишний вес, недостаток денег и т. д.). Если вы ощущаете сопротивление именно этой фразе, значит, другие ваши аффирмации пока не будут эффективными.

Нужно уничтожить паутину, которой вы себя опутали. Если вы когда-либо разматывали клубок бечевки, то знаете, что, дергая и натягивая ее, только туже затянете узел. Нужно спокойно и терпеливо развязывать все узлы. Такое же терпение и спокойствие вам потребуются для того, чтобы развязать все узелки вашего сознания. Если понадобится, обратитесь за помощью к друзьям, коллегам или специалистам. Относитесь к себе с любовью во время этого процесса. Ключ к успеху — желание распрощаться с прошлым, с устаревшими стереотипами. В этом весь секрет.

Когда я говорю о так называемой потребности проблемы, я имею в виду, что каждое внешнее проявление является естественным выражением того или иного образа мыслей. Борьба с внешним проявлением-симптомом — не что иное, как зря потраченная энергия, в результате чего проблема только усугубляется. Промедление с началом любого дела — одно из проявлений убеждения «Я недостоин».

Если вы обычно прибегаете к различного рода уловкам и отговоркам, лишь бы не браться за дело, значит, вам свойственно убеждение: «Я недостоин». Ведь оттягивание, промедление — один из способов удержать нас от каких-либо действий или поступков. Большинство людей, оттягивающих свои дела, тратят много сил и времени, ругая себя за это, называют себя лентяями и доказывают себе, что они плохие.

Неприятие чужих радостей

Один мой пациент очень любил привлекать внимание окружающих и обычно приходил на собрание с опозданием, чтобы возбудить общий интерес.

Он рос в семье, где было 18 детей. Уже с раннего детства он считал себя обделенным: если родители угощали его братьев и сестер, то он, как правило, последним получал лакомый

Ваш интеллект — это тот же Разум, что создал всю планету. Верьте Руководителю, который живет внутри вас, и он расскажет, что же вам конкретно необходимо знать.

кусочек. Поэтому еще с ранних лет у него зародилось чувство болезненной зависти к более удачливым. И даже теперь, когда кому-либо улыбается судьба, он не может разделить радость с этим человеком. Вместо этого он говорит: «Ох, как бы я хотел это иметь!» или «Почему у меня до сих пор этого нет?»

Неприятие чужой удачи или успеха препятствует его собственному духовному росту или изменению.

Чувство самоценности и самоуважения открывает двери судьбы

Однажды ко мне пришла пациентка в возрасте 79 лет. Она была преподавателем пения, а несколько ее учеников занимались рекламными передачами на телевидении. Она тоже мечтала заняться этим бизнесом, однако не решалась. Я полностью поддержала ее желание. И объяснила: «Будьте сама собой. Вы единственная в своем роде, делайте это себе в удовольствие».

Есть категория людей, которые ждут, что же вы можете им предложить. Дайте им понять, что они существуют, способны на хорошие, полезные дела, от которых могут получить удовольствие и они, и окружающие. И тогда все встанет на свои места.

Моя пациентка пригласила к себе агентов и режиссеров, занимающихся подбором актерского состава. Они приехали к ней и услышали: «Хотя я уже очень пожилая дама, я хочу заняться бизнесом, связанным с рекламой и объявлениями». Спустя некоторое время она сделала несколько передач и с тех пор продолжает работу. Я часто вижу ее на ТВ и в журналах. Знайте: никогда не поздно начать новую карьеру, особенно если вы получаете от этой работы удовольствие.

Заниматься самокритикой — значит никогда не добиться своей цели

Занимаясь самокритикой, вы только медлите с началом работы или предаетесь лени, поэтому свою умственную энергию вы должны направить на избавление от старых стереотипов и создание нового образа мышления. Скажите себе: «Я хочу избавиться от потребности быть недостойным и заслуживаю всего наилучшего в жизни. Теперь с любовью я разрешаю себе признать это. По мере того, как я в течение нескольких дней буду повторять эту аффирмацию, все внешние проявления проволочки начнут исчезать сами по себе. Как только мысль о самоценности утвердится в моем сознании, добро и благо не заставят себя долго ждать».

Вы можете сказать: «А как это может соотноситься с негативными мыслями или внешними проявлениями в нашей жизни?»

Независимо от вашего подхода к проблеме и самого обсуждаемого предмета, мы имеем дело только с мыслями, а их можно изменить.

Если мы желаем каким-то образом изменить обстоятельства, нам нужно сказать: «Я хочу избавиться от своего образа мышления, который создает это обстоятельство».

Вы можете многократно повторять эту фразу каждый раз, когда думаете о своей болезни или какой-либо другой проблеме.

Как только вы ее произнесете, моментально почувствуете, что вы больше не являетесь жертвой обстоятельств. Вы больше не беспомощны, вы сознаете свою силу.

Говорите себе: «Я начинаю понимать, что сам создал это. Теперь ко мне возвращается сила. Я намерен избавиться от своей старой мысли».

Самокритика

Я знаю клиентку, которая способна за один присест съесть почти полкило сливочного масла, а заодно и закусить еще чем-нибудь, будучи не в состоянии оставаться наедине со своими негативными мыслями. А на следующий день она будет сердиться на себя: «Почему такая полная?» Когда она была маленькой, то, обходя вокруг стола, доедала остатки обеда и кусочки масла за всеми членами семьи. Все посмеивались над ней, находя это забавным и фактически одобряя ее поступки.

Как вы думаете, на кого вы пытаетесь воздействовать, когда ругаете или «казните» себя?

Почти все наши стереотипы, положительные и отрицательные, сложились еще в трехлетнем возрасте. И с тех пор наш опыт базируется на представлениях, формировавшихся именно в тот период нашей жизни. Мы обращаемся с собой так же, как с нами обращались родители. Человек же, которого вы ругаете, — это трехлетний ребенок внутри вас.

Если вы сердитесь на себя за то, что пугливы, всегда чего-либо боитесь, представьте себя трехлетним ребенком. Что бы вы сделали, если бы перед вами оказался малыш? Рассердились бы на него или, протянув к нему руки, стали бы утешать до тех пор, пока он не успокоится? Возможно, что взрослые, окружавшие вас в детстве, не знали, как успокоить ребенка. А теперь вы сами стали взрослым, и если не успокаиваете ребенка внутри себя, то это действительно очень печально.

То, что было сделано в прошлом, уже не вернешь. Но сейчас у вас есть возможность обращаться с собой так, как вы хотели бы, чтобы с вами обращались другие. Напуганного ребенка нужно успокоить, а не ругать.

Если же вы будете ругать себя, то боязнь и страх проявятся в вас в еще большей степени.

Если ребенок внутри вас не чувствует себя в безопасности, это создает множество проблем. Помните, каким ничтожным вы иногда чувствовали себя в детстве? Сейчас ребенок внутри вас чувствует себя точно так же.

Будьте добры к себе. Начинайте любить и одобрять себя. Именно в этом нуждается дитя, для того чтобы выразить себя наилучшим образом.

В бесконечном потоке жизни, частицей которого я являюсь, все прекрасно, цельно, совершенно. Я хочу освободиться от всего, что сопротивляется переменам в моем сознании. Эти мысли больше не властны надо мной. Я властвую в этом мире.

Я двигаюсь вместе с потоком перемен,
происходящих в моей жизни,
и одобряю себя и то, как я изменяюсь.

Я стараюсь изо всех сил.

С каждым днем мне
становится все легче.

Меня радует, что я двигаюсь
в ритме и потоке своей постоянно
меняющейся жизни.

Сегодня — замечательный день.

И я хочу, чтобы так было всегда.

В моем мире все прекрасно.

ГЛАВА VI
КАК ИЗМЕНИТЬ СЕБЯ?

Я легко и радостно перехожу мосты.

Мне нравится вопрос: «Как это происходит?» Все существующие в мире теории бесполезны до тех пор, пока мы не научимся их применять и совершенствоваться. Я всегда руководствуюсь практическими соображениями и хочу знать, как делать то или другое.

Друзья! Теперь мы начнем работать над следующими принципами: «Воспитание в себе желания освободиться от ненужных стереотипов», «Контроль над сознанием», «Обучение методам прощения себя и других».

Избавление от потребности

Когда мы пытаемся избавиться от какого-либо стереотипа мышления или поведения, нам порой кажется, что ситуация на некоторое время ухудшается. Но это не так уж и плохо. Это знак того, что обстоятельства начали изменяться, наши аффирмации благотворно действуют, и работу над собой следует продолжить.

Вот примеры.

1. Мы работаем не покладая рук, чтобы улучшить свое благосостояние, но вдруг потеряли бумажник.

2. Мы стремимся улучшить отношения с кем-либо, но неожиданно с ним поссорились.

3. Мы все делаем для укрепления здоровья, как вдруг простудились.

4. Мы стремимся как можно лучше проявить свои творческие способности и таланты, но проваливаемся на прослушивании или конкурсе.

Иногда проблема развивается в другом направлении. Предположим, вы хотите бросить курить и говорите: «Я хочу избавиться от табакокурения!» Если вы продолжаете курить, то замечаете ухудшение отношений с кем-либо.

Казалось бы, какая существенная связь между вашим курением и отношениями с другими людьми? Вы думаете, никакой? Нет, это не так. Не огорчайтесь, если вы почувствовали дискомфорт по отношению к кому-то. Это признак начавшихся в вас перемен: вы стали изменяться, процесс пошел.

Можете задать себе несколько вопросов. Например: «Хочу ли я разорвать эти ненормальные отношения?», «Не является ли сигаретный дым экраном, заслоняющим от меня действительность, не мешает ли он понять, насколько эти отношения неудобны для меня?», «Зачем я поддерживаю и сохраняю эти отношения?»

Вы сознаете, что сигареты являются только симптомом, а не причиной. Теперь вы развиваетесь внутренне и понимаете, что может вас освободить.

Вы начинаете внушать себе: «Я хочу избавиться от потребности неудобных отношений».

Вскоре вы замечаете: причина вашего ощущения дискомфорта — в критическом отношении к вам со стороны окружающих.

Зная о том, что свой жизненный опыт мы создаем сами, вы начинаете внушать себе: «Я хочу избавиться от потребности быть критикуемым».

Поразмыслив, вы вспоминаете, что в детстве вас много критиковали. В результате маленький ребенок внутри вас чувствует себя «как дома» только тогда, когда его критикуют. И создание экрана из сигаретного дыма не что иное, как бегство от этой критики.

Возможно, следующим вашим шагом будет заявление: «Я хочу простить».

Продолжая работу с аффирмациями, вы обнаруживаете, что сигареты больше не привлекают вас, а люди — не критикуют. Теперь вы знаете, что избавились от потребности курить.

Чтобы добиться успеха, требуется не так уж и много времени. Если вы проявите настойчивость и ежедневно в течение нескольких минут будете размышлять об изменениях, которые происходят в вас, вы получите ответы на все свои вопросы.

Ваш интеллект — это тот же Разум, что создал всю планету. Верьте Руководителю, который живет внутри вас, и он расскажет, что же вам конкретно необходимо знать.

УПРАЖНЕНИЕ «ИЗБАВЛЕНИЕ ОТ ПОТРЕБНОСТИ»

Если вы участвуете в семинаре, желательно, чтобы это упражнение выполнялось с партнером. С таким же успехом вы можете использовать большое зеркало.

Подумайте, что бы вы хотели изменить в своей жизни. Подойдя к зеркалу, взгляните прямо себе в глаза и громко скажите: «Сейчас я понял, что сам создал эту ситуацию, а теперь хочу избавиться от этого стереотипа мышления».

Произносите эту фразу с чувством несколько раз.

Если вы с партнером, пусть он скажет, верит ли он вам. Я очень хочу, чтобы вы его убедили.

Спросите себя, действительно ли вы имели это в виду.

Глядя в зеркало, убедите себя, что на этот раз вы готовы выйти из кабального прошлого.

На этом упражнении многие испытывают страх, так как не знают, КАК избавиться. Они боятся принять на себя обязательства до тех пор, пока не узнают всех ответов. Но это только порождает еще большее сопротивление. Пройдите через это.

Замечательно то, что вы не обязательно должны знать, КАК. Каждая ваша мысль или ваше подсознание само подскажет, как — было бы желание что-то сделать.

Ваш разум — это инструмент

Вы — нечто более значительное, чем ваш разум. Можете считать, что ваш ум показывает спектакль, потому что вы научили его так работать. Но при желании этот инструмент мышления можно чему-то научить и переучить.

Ваш ум — это инструмент, которым вы можете пользоваться любым способом.

То, как вы сейчас пользуетесь своим умом, — всего лишь привычка, а любые привычки можно изменить, были бы желание и уверенность в том, что это возможно.

Угомонитесь, прекратите болтать о разуме. Давайте всерьез задумаемся над тем, что же это такое.

Ваш разум — это инструмент, который вы можете использовать любым способом.

Ваш ум — это инструмент, которым вы можете пользоваться любым способом.

Мысли, которым вы отдаете предпочтение, формируют ваш жизненный опыт. Если вы верите в то, что привычку или мысль трудно изменить, то именно это ваше убеждение превратится в реальность. Если начнете думать: «Мне становится легче изменяться», именно эта мысль станет правдой для вас.

Контроль над разумом

Вы обладаете удивительной силой и умственными способностями, определяющими ваши мысли и слова.

Научившись контролировать свой разум, сознательно выбирая ту или иную мысль, вы наделяете себя этой силой.

Если вы считаете, что ваш разум контролирует вас, — ошибаетесь: вы сами контролируете его и пользуетесь им в зависимости от жизненных ситуаций. Благодаря разуму вы можете отказаться от старых стереотипов мышления.

Если эти стереотипы пытаются вернуться и говорят: «Измениться очень трудно», в этом случае скажите своему разуму: «Теперь я хочу верить, что мне становится легче изменяться». Возможно, вам придется не раз вести такие беседы с самим собой, чтобы убедиться: ситуация контролируется вами и все идет так, как вы приказываете себе.

Единственное, над чем вы имеете контроль, — это ваша сиюминутная мысль

Итак, вы распрощались со своими старыми мыслями. С ними ничего нельзя сделать, кроме как пережить те ситуации, которые сформировали ваши сиюминутные мысли и находятся под вашим полным контролем.

Пример. Допустим, вы разрешали вашему ребенку ложиться спать тогда, когда он захочет. Затем вы вдруг решили укладывать его в 8 часов вечера. Как вы думаете, во что превратится его первая ночь после перемены режима?

Ребенок восстанет против нового правила, будет пронзительно кричать, бить ножками, только чтобы не идти в постель. Если вы смягчитесь и отступите от своего решения, ребенок победит и будет пытаться всегда вас контролировать.

Но если вы спокойно, но твердо будете стоять на своем, то через две-три ночи недовольство ребенка пройдет, и он начнет жить по новому режиму.

То же самое происходит с вашим разумом. Конечно, сначала он будет противиться. Он не хочет переучиваться, изменяться. Но вы контролируете его, и, если будете строги к себе и сосредоточите все свое внимание на новом образе мыслей, он довольно скоро воцарится в вашем сознании.

И вам будет приятно сознавать, что вы не беспомощная жертва своих мыслей, а хозяин и господин своего разума.

УПРАЖНЕНИЕ «РАССЛАБЛЕНИЕ»

Читая эти строки, глубоко вдохните, затем, выдыхая, полностью расслабьтесь. Пусть разгладится кожа на лбу и щеках. Не нужно напрягать голову. Дайте также расслабиться своему языку и горлу. Распрямите плечи. Книгу можете держать расслабленными руками. Пусть расслабятся спина, брюшная полость и таз. Дышите ровно, расслабьте ноги и ступни.

Вы почувствовали изменение в своем теле после того, как начали читать предыдущий абзац? Отметьте про себя, как долго вы можете быть в этом состоянии. Учтите: то, что вы делаете со своим телом, вы совершаете и со своим разумом.

В этом расслабленном, удобном положении скажите себе: «Я хочу отпустить. Я освобождаю. Я разрешаю уйти. Я избавляюсь от напряжения. Я избавляюсь от гнева и раздражения. Я разрешаю уйти от себя всей печали. Я освобождаюсь от всех устаревших и ограничивающих меня мыслей и идей. Я разрешаю им уйти. Я в мире и согласии с самим собой и в гармонии с процессом жизни. Я чувствую себя в безопасности».

Выполните это упражнение два-три раза. Почувствуйте облегчение от избавления. Повторяйте упражнение каждый раз, как только почувствуете, что вновь появляются мысли о трудности перемен. Надо немного поупражняться, и тогда это упражнение станет частью вашей жизни. Сначала расслабьтесь,

Почувствуйте
в глубине своего
сердца приятную
теплоту, мягкость
и доброту. Пусть
эти чувства помо-
гут изменить ваш
образ мыслей.

примите спокойную позу, тогда аффирмации быстрее дадут результат. Вы легче будете их воспринимать.

Не должно быть никакого напряжения или нажима. Просто расслабьтесь и подумайте о чем-нибудь приятном. Это так легко.

Физическое избавление

В нашей неспокойной повседневной жизни часто возникает необходимость снимать стрессовые состояния и напряжение. Отрицательные эмоции, вызывающие эти явления, как бы заперты в нашем теле. Им необходимо дать выход. Покричите во весь голос в автомобиле с закрытыми стеклами, это очень поможет снять напряжение. Особенно это полезно в том случае, если вы воздерживаетесь от грубых словесных выражений. Можно также колотить постель руками и ногами или бить подушки. Эти проверенные жизнью действия — безвредный способ высвобождения подавленного гнева, так же как игра в теннис или бег.

Недавно я почувствовала боль в плече. Это продолжалось день-два. Я попыталась ее игнорировать, но боль не проходила. Я села и спросила себя: «Что происходит? Что я ощущаю?»

Наконец я поняла свое состояние: у меня было ощущение жжения. Жжение, жжение… Это символизирует гнев. Почему я сержусь?

Я не могла ответить себе, потому сказала: «Ну-ка, давай посмотрим, что нам удастся обнаружить». Я положила на кровать две большие подушки и начала колотить их со всей силой.

Примерно после двенадцати ударов я поняла, в чем дело и почему я сержусь. Это было так ясно! Тогда я стала бить по подушкам еще сильнее, немного пошумела и высвободила свои эмоции. Закончив эту процедуру, я почувствовала себя намного лучше, а на следующий день боль в плече совершенно прекратилась.

В тисках прошлого

Многие говорят мне, что не умеют радоваться из-за чего-то, что случилось с ними в прошлом. Они не могут сейчас жить полнокровной жизнью, так как в прошлом чего-то не сделали, а если и сделали, то не так, как следует. Не могут ответить на чью-то любовь из-за обиды, которую нанесли им в прошлом. Поскольку ранее их преследовали в основном одни неприятности, они боятся, что сегодня с ними может повториться то же самое. Неблаговидные поступки, совершенные ими в прошлом, о чем они, естественно, сожалеют, накладывают на них, по их собственному мнению, печать на всю жизнь. Кроме того, в своих бедах и несчастьях они склонны обвинять всех, в том числе и людей, с которыми раньше общались. В результате нанесенных обид у них появляются злость и ненависть. Они становятся злопамятными и не простят, не забудут то, что с ними когда-то плохо обошлись.

Вот примеры.

1. Так как меня не пригласили на вечер выпускников в средней школе, я не могу радоваться жизни.
2. Так как я плохо выступил на первом прослушивании, я всегда буду бояться их.
3. Так как я разведен, я не могу теперь жить полнокровной жизнью.

4. Поскольку в детстве я был беден, то, думаю, никогда не разбогатею.
5. Поскольку однажды что-то украл, я должен всю жизнь казнить себя за этот неблаговидный поступок.
6. Поскольку меня однажды незаслуженно обидели, я окончательно потерял доверие к людям.

Мы часто отказываемся понять, что, удерживая в памяти прошлое, независимо от того, насколько плохое оно было, мы только раним себя, хотя, к сожалению, часто этого не сознаем.

Прошлое ушло безвозвратно, и его нельзя изменить. Существует только настоящее, а сокрушаясь о прошлом, мы теряем возможность приобрести жизненный опыт в настоящем.

УПРАЖНЕНИЕ
«ОСВОБОЖДЕНИЕ ОТ ГРУЗА ПРОШЛОГО»

Давайте «почистим» свой разум и освободимся от груза прошлого. Постарайтесь не поддаваться эмоциям, пусть это будут просто воспоминания и ничего более.

Когда вы вспоминаете, как вы были одеты в школе в третьем классе, то ваши мысли не несут никакой эмоциональной нагрузки. Разве не так?

То же самое может быть со всеми случаями из нашей жизни. Избавившись от грустных воспоминаний о прошлом, мы сможем пользоваться силой разума, чтобы наслаждаться этим моментом и создавать великое будущее.

> *Любовь все исцеляет, а дорога к любви идет через прощение. Прощение помогает избавиться от обиды.*

Составьте список всего, от чего вы хотели бы избавиться. Насколько сильно ваше желание сделать это? Заметьте, как вы реагируете. Что вы должны сделать, чтобы освободиться от того, что вы внесли в список? Как вы сопротивляетесь?

Прощение

Следующий шаг — прощение. Прощение самих себя и других освобождает от груза прошлого. В книге «Курс лекций о чудесах» часто повторяется фраза, что прощение — это ответ почти на все вопросы. Я уверена, что когда мы на чем-то зацикливаемся, это значит, что мы должны чаще прощать кого-либо. Если в нашей жизни попадаются рифы, это говорит о том, что мы продолжаем цепляться за какой-то момент в прошлом.

Это может быть раскаяние, печаль, боль, страх или вина, осуждение, гнев, обида, иногда даже желание отомстить.

Каждое из этих состояний является результатом вашего нежелания простить и означает ОТКАЗ позволить уйти прошлому и дать возможность родиться настоящему моменту.

98

Любовь все исцеляет, а дорога к любви идет через проще-ние. Прощение помогает избавиться от обиды.

Существует несколько способов избавления от обиды, среди которых я предпочитаю упражнение Эмета Фокса.

УПРАЖНЕНИЕ «ИЗБАВЛЕНИЕ ОТ ОБИДЫ»

Есть упражнение для освобождения от обиды Эмета Фок-са, которое очень эффективно. Он рекомендует: «Спокой-но сядьте, закройте глаза, полностью расслабьтесь. Затем представьте себя перед маленькой сценой в затемненном зрительном зале театра. Допустим, на этой сцене находит-ся человек, которого вы очень обидели. Это может быть кто-нибудь из прошлого или настоящего, живущий в настоя-щее время или умерший. Как только вы ясно увидите перед собой этого человека, представьте, что с ним произошло что-то хорошее, очень важное и приятное для него событие. Он улыбается, он счастлив!»

Пусть это видение продлится несколько минут. Когда оно исчезнет, я бы хотела, чтобы на сцене вы заняли его место. И с вами также происходит радостное событие: вы тоже улы-баетесь, вы счастливы! Знайте, что необозримые пространства Космоса доступны всем нам.

Вышеуказанное упражнение разгоняет темные тучи обиды, бремя которой несет большинство из нас. Некоторым паци-ентам будет очень трудно выполнять данное упражнение. Постарайтесь, каждый раз выполняя его, представлять другого человека. Делать это упражнение необходимо один раз в день в течение месяца, и вы убедитесь, что вам станет намного легче, вы станете спокойнее, доброжелательнее к окружающим.

УПРАЖНЕНИЕ «МЕСТЬ, ОТМЩЕНИЕ»

Верующие знают, как важно прощение. Некоторым из нас нужно сделать решающий шаг, чтобы окончательно простить...

Иногда маленький ребенок внутри нас нуждается в удовлетворении жажды мести, после чего он будет готов простить. В этом случае полезно следующее упражнение: «Закройте глаза, сядьте спокойно. Подумайте о людях, которых вам труднее всего простить. Что бы вы действительно хотели с ними сделать? Что они, со своей стороны, должны предпринять, чтобы заслужить ваше доверие? Представьте во всех деталях, что все это происходит в настоящее время. Как долго вы хотели бы их видеть страдающими и наказуемыми?

Простите всех страждущих, и вы почувствуете себя удовлетворенным, так как принесли людям добро и успокоение».

Не стоит увлекаться этим упражнением ежедневно. Выполните его один раз, и оно поможет вам завершить процесс освобождения от жажды мести.

УПРАЖНЕНИЕ «ПРОЩЕНИЕ»

Теперь мы готовы к прощению. Это упражнение желательно выполнять с партнером, если же вы один — громко повторяйте аффирмацию.

Сядьте спокойно с закрытыми глазами и скажите: «Человек, которого я должен простить…» и «Я прощаю его за…»

Повторяйте это многократно. У вас будет достаточно моментов, позволяющих в настоящее время и в дальнейшем совершать благородные поступки: прощать людей.

Если с вами это упражнение выполняет партнер, пусть он скажет вам: «Спасибо, я освобождаю тебя». Если вы один, представьте, что это говорит человек, которого вы прощаете. Повторяйте эти фразы в течение 5—10 минут. Загляните в свое сердце и посмотрите, не остались ли там не прощенные вами люди. Пусть и они уйдут из вашей жизни.

После того как вы «очистились», обратитесь к себе. Скажите себе громко: «Я прощаю себя за…» Повторите это несколько раз в течение пяти минут. Это очень эффективное упражнение. Было бы хорошо выполнять его раз в неделю.

Из своего опыта скажу, что некоторые ситуации решаются легко, а другие — нет. Но наконец наступит такой момент, когда однажды они исчезнут навсегда.

УПРАЖНЕНИЕ «ВИЗУАЛИЗАЦИЯ»

Вот еще одно хорошее упражнение. Желательно его также выполнять с партнером или записать на пленку и слушать.

Представьте себя ребенком 5—6 лет. Посмотрите внимательно ему в глаза. Чего он хочет? Он ждет любви от вас. Поэтому протяните к нему руки, обнимите его, прижмите к себе нежно, с любовью. Расскажите, как сильно вы его любите, как заботитесь о нем. Обожайте его и скажите, что это неважно, если он

совершает ошибки. Обещайте независимо от обстоятельств находиться всегда рядом с ним. А теперь пусть этот ребенок станет совсем маленьким, таким, чтобы его можно было поместить в ваше сердце. Посадите его так, чтобы, поглядев вниз, вы могли видеть его личико, обращенное к вам. Одарите его своей любовью.

Теперь представьте свою мать девочкой 4–5 лет. Она испугана, ищет любовь и ласку и не знает, где их найти. Обнимите эту девочку, прижмите к себе и дайте понять, как любите ее и заботитесь о ней. Пусть она знает, что всегда и везде может полагаться на вас. Когда она успокоится и почувствует себя в безопасности, позвольте ей уменьшиться до такого размера, чтобы она могла поместиться в вашем сердце. В вашем сердце нашлось место для двух малышей. Подарите им свою любовь.

А этот напуганный, плачущий мальчик 3–4 лет — ваш отец. Он тоже ищет любви. Посмотрите, как слезы катятся по его щекам. Он горько плачет, не знает, куда пойти. Вы уже можете обращаться с маленькими испуганными детьми, поэтому обнимите это дрожащее тельце. Успокойте малыша, спойте вполголоса песенку, приласкайте его. Пусть он почувствует, как вы любите его.

Когда мальчик успокоится и высохнут слезы, дайте ему уменьшиться до такого размера, чтобы и он обрел свое место в вашем сердце. Поместите его туда.

Теперь в вашем сердце трое детей, которые могут любить друг друга, а вы — всех троих.

Ваше сердце вмещает столько любви, что она может исцелить целую планету. Но пока воспользуемся ею, чтобы исцелить вас. Почувствуйте в глубине своего сердца приятную теплоту, мягкость и доброту. Пусть эти чувства помогут изменить ваш образ мыслей и манеру говорить.

В бесконечном потоке жизни,

частицей которого я являюсь,

все прекрасно, цельно, совершенно.

Изменение — естественный
закон моей жизни.

Я приветствую изменение.

Я очень хочу измениться.

Я хочу изменить свой образ мыслей.

Я хочу изменить слова,
которые произношу.

Я радостно и свободно двигаюсь
от прошлого к будущему.

Простить оказалось намного легче,
чем я предполагал.

Простив, я чувствую себя свободно и легко.

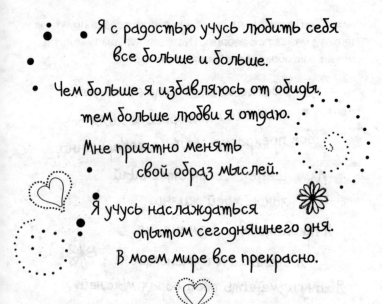

Я с радостью учусь любить себя
все больше и больше.

Чем больше я избавляюсь от обиды,
тем больше любви я отдаю.

Мне приятно менять
свой образ мыслей.

Я учусь наслаждаться
опытом сегодняшнего дня.

В моем мире все прекрасно.

ГЛАВА VII
СОЗДАНИЕ НОВОГО

Я без труда получаю ответы
на все свои вопросы.

Я не хочу быть полным.
Я не хочу быть разоренным.
Я не хочу быть старым.

Я не хочу жить здесь.

Я не хочу иметь эти отношения.

Я не хочу быть похожим на отца (мать).

Я не хочу больше работать на этом месте.

Я не хочу иметь эти волосы (этот нос, это тело).

Я не хочу быть одиноким.

Я не хочу быть несчастным.

Я не хочу быть больным.

Чем больше мы думаем над негативными явлениями, тем больше усугубляем их.

Приведенные выше утверждения показывают, как раньше с помощью сознания нас учили бороться с негативными явлениями жизни. Нам внушали, что при многократном повторении негативных фраз позитив сам придет к нам. Но я уверена, что все происходит иначе.

Как часто вы сокрушались, не получив того, в чем на самом деле не очень и нуждались? Помогло ли это вам добиться желаемого?

Если вы действительно намерены изменить свою жизнь, то борьба с негативом — пустая трата времени.

Запомните: чем больше вы обращаете внимание на то, от чего хотели бы избавиться, тем больше усугубляете его.

Все, что вы не любили в себе и в жизни, скорее всего, до сих пор остается с вами.

Все, чему вы уделяете внимание, растет, увеличивается и становится неотъемлемой частью вашей жизни. Отвлекитесь от грустных и неприятных мыслей и помечтайте о том, кем вы хотели бы стать и что хотели бы иметь. Постарайтесь сконцентрировать все свое внимание на этом. Предлагаю вышеуказанные негативные утверждения переделать в позитивные:

Я — стройный.

Я — преуспевающий.

Я всегда молод.

Сейчас я переезжаю на лучшее место.

У меня прекрасные отношения с...

Я — личность.

Я люблю свои волосы (свой нос, свое тело).

Я полон любви и нежности.

 Я — радостный, счастливый и свободный.

Я полностью здоров.

Учитесь думать позитивными аффирмациями!

Ими могут стать любые ваши утверждения. Мы слишком часто думаем о негативном. Такие утверждения только множат то нежелательное, от чего вы хотели бы освободиться. Когда вы говорите: «Я терпеть не могу свою работу», то это ничего не даст. Но если вы скажете: «Я принимаю замечательную новую работу», то это заявление откроет каналы восприятия в вашем сознании, и таким образом новая работа вам будет обеспечена.

Постоянно повторяйте аффирмации о том, какой бы хотелось вам видеть свою жизнь. Кстати, следует помнить об одной важной детали: всегда произносите аффирмации только в настоящем времени!

Например: «Я молодой и здоровый» или «У меня прекрасные друзья». Ваше пожелание, высказанное в будущем времени или сослагательном наклонении, так и останется неосуществленным.

Любить себя

Как я уже говорила, независимо от проблемы, беспокоящей вас, главное, над чем нужно работать, — это любить себя. Именно эта «магическая палочка» способна помочь вам. Помните ли вы то счастливое время, когда были довольны собой и своей жизнью? Помните ли, когда были влюблены и, казалось, жили без проблем? Да, любовь к себе может принести такую волну приятных чувств и счастливых случайностей, что вы будете танцевать от радости. Любовь к себе делает человека счастливым!

Всегда произносите позитивные аффирмации только в настоящем времени!

Невозможно любить себя, если вы не приняли себя таким, какой вы есть на самом деле, и не оценили всех своих достоинств. Это значит, должна быть исключена любая критика. Однако я уже слышу ваши возражения: «Но я всегда критиковал себя», «Как мне такое в себе может нравиться?», «Мои родители (учителя, возлюбленные) всегда критиковали меня!», «Как я объясню это?», «Мне не пристало так поступать», «Как я смогу измениться, если не буду критиковать себя?»

Тренировка сознания

Самокритика, несколько примеров которой мы привели выше, — всего лишь пустая болтовня вашего разума. Видите, вы сами научили его ругать вас и сопротивляться переменам. Не обращайте внимания на него и продолжайте работу над собой.

А теперь повторим упражнение, которое делали раньше. Посмотрите на свое отражение в зеркале и скажите: «Я люблю и принимаю себя таким, какой есть».

Как вы чувствуете себя теперь? Не стало ли вам немного легче после работы, которую мы проделали с целью прощения? Это и есть наша главная проблема. Самопризнание и самоодобрение являются ключами к позитивным переменам в вас и вашей жизни.

Когда я очень себя не любила, то порой даже шлепала себя по лицу. Если кто-либо говорил, что я любима, моей первой реакцией было: «Что они видят хорошего во мне?» или классическое: «Если бы они знали, какая я на самом деле, вряд ли полюбили бы меня».

Тогда я не осознавала, что все хорошее в жизни начинается с признания самого себя и любви к собственному «я». После того как я усвоила эту истину, мои отношения со своим «я» наладились.

Я начала с того, что попыталась обнаружить в себе хорошие качества и достоинства, и даже этот небольшой шаг к изменению оказался очень полезным, мое здоровье стало улучшаться с каждым днем.

Таким образом, крепкое здоровье начинается с любви к себе. То же самое можно сказать о благосостоянии, любви и раскрытии творческих способностей. Позже я научилась любить и принимать не только свои достоинства, но и недостатки. Вот тогда и начался мой прогресс.

УПРАЖНЕНИЕ «Я ОДОБРЯЮ СЕБЯ»

Я давала это упражнение сотням людей, и результаты были потрясающи. Предлагаю вам многократно повторять фразу: «Я одобряю себя».

Выполняйте это упражнение не менее 300–400 раз в день. Не пугайтесь! Это не так много, как кажется сначала. Если вы

чем-то обеспокоены или столкнулись с трудной проблемой, 300–400 раз в день — это как раз то количество, которое требуется для выполнения данного упражнения. Лучше всего, если бы вы сделали эту аффирмацию мантрой, которую постоянно проговаривали бы в пути или во время прогулки.

Это верный способ выявить все негативное в вашем сознании.

Если вас посещают негативные мысли вроде: «Как я могу одобрять себя, если я полный…», или «Глупо думать, что это упражнение поможет мне», или «Я плохой», — значит, вам нужно контролировать свое сознание.

Старайтесь не придавать этим мыслям никакого значения. Просто рассматривайте их как один из способов привязать вас к прошлому. Мягко скажите таким мыслям: «Уйдите. Я отпускаю вас. Я одобряю себя».

Даже сейчас, обдумывая это упражнение, вы можете услышать ворчливый внутренний голос: «Какая глупость! Все это неправдоподобно. Это ложь! Как я могу одобрить себя, если делаю так?»

Пусть эти мысли, промелькнув, исчезнут. Они отражают сопротивление, неприятие перемен и до тех пор будут властвовать над вами, пока вы будете верить им.

«Я одобряю себя», «Я одобряю себя», «Я одобряю себя». Повторяйте эту аффирмацию всегда и везде, независимо от обстоятельств жизни. Давайте представим, что кто-то совершает поступок, который вы не можете одобрить. Если именно в этот момент вы сможете сказать себе аффирмацию: «Я одобряю себя», значит, вы действительно начали преображаться.

Крепкое здоровье начинается с любви к себе. То же самое можно сказать о благосостоянии, любви и раскрытии творческих способностей.

Мысли не имеют над нами силы, пока мы не позволяем им овладеть нашим сознанием. Они — всего лишь слова, нанизанные на одну нить. Сами по себе они не имеют никакого смысла. Только мы придаем им определенное значение. Поэтому давайте отдадим предпочтение тем мыслям, которые поддерживают нас и дают пищу нашему разуму.

Игнорируя мнение других, человек самоутверждается. Если бы я постоянно твердила вам, что вы — розовый поросенок, то вы или посмеялись бы надо мной, или рассердились, посчитав меня сумасшедшей.

Многие россказни, в которые нам хотелось бы верить, так же далеки от действительности и неправдоподобны. Поэтому считать, что ваша значимость зависит от вашей фигуры, — все равно что поверить бредням о поросенке.

Черты характера, которые мы не любим в себе и считаем отрицательными, отражают нашу индивидуальность. В этом проявляется наша уникальность и особенность. Природа никогда не повторяет себя. В течение тысячелетий на нашей планете не выпало двух одинаковых снежинок или капель дождя. Каждая маргаритка уникальная и единственная в своем роде. Отпечатки пальцев, как и сами люди, отличаются друг от друга. Самой природой предполагается, что мы различны. И когда мы принимаем это за аксиому, не остается места для конкуренции и нездоровой зависти. Мы пришли на Землю, чтобы выразить себя и показать, кто мы есть. Не пытайтесь стать похожими на других, иначе вы потеряете свою индивидуальность.

Я многого не знала о себе до тех пор, пока не начала любить себя такой, какая я есть именно сейчас.

Претворяйте свои знания в жизнь

Думайте о том, что может сделать вас счастливым. Делайте то, что вам нравится. Будьте с людьми, с которыми вам хорошо. Ешьте то, что нравится вашему телу. Идите туда, где вам хорошо.

Бросайте семена в благодатную почву

Представьте себе куст томата. Известно, что с одного здорового растения можно собрать сотни плодов. Но для того чтобы вырастить куст, нам нужно приобрести маленькое высушенное семечко. Оно совершенно не похоже на взрослое растение. Естественно, что и его вкус не имеет ничего общего со вкусом этого овоща. Не зная точно, вы никогда бы не поверили, что из него может вырасти целый куст. Но тем не менее представим, что вы посадили это семя в удобренную почву и полили. Пусть солнечные лучи освещают его.

Когда появляется крошечный побег, вы не наступаете на него и не говорите: «Это не куст томата». Напротив, посмотрев на него, вы восклицаете: «Ой, он пророс!» И с радостью наблюдаете, как он дальше растет.

Если вы продолжаете поливать его, удалять сорняки из почвы, а солнце вдоволь освещает его, то через некоторое время у вас вырастет куст, на котором будет более сотни сочных и ароматных томатов. А все началось с крошечного семени.

То же самое происходит с вами, когда вы приобретаете новый жизненный опыт. Почва, в которую вы сажаете растение, — это ваше подсознание. Семя — новая аффирмация. Весь ваш новый жизненный опыт сосредоточен в этом крошечном семечке. Вы поливаете его аффирмациями, освещаете светом позитивных утверждений, пропалываете, удаляя негативные мысли, появившиеся у вас. И когда вы видите первые слабые ростки — признаки изменений, вы не говорите: «Этого мало!» Вместо этого, глядя на появляющиеся перемены, весело восклицаете: «О, смотрите! Я начинаю изменяться! Она (аффирмация) работает!»

Затем вы будете наблюдать, как ваш жизненный опыт обогащается, вы изменяетесь и достигаете своей мечты.

УПРАЖНЕНИЕ «ДОБИВАЙТЕСЬ НОВЫХ ИЗМЕНЕНИЙ»

Пришло время вернуться к списку ваших проблем и превратить их в позитивные аффирмации. Вы можете также перечислить ситуации, которые вам не нравятся и требуют перемен. Выделите из них любые три и превратите их в позитивные утверждения.

Предположим, что ваш список выглядел бы так:

Моя жизнь ужасна.

Никто не любит меня.

Мне надо похудеть.

Я хочу переехать.

Я ненавижу свою работу.

Мне нужно быть более организованным.

Я недостаточно много работаю.

Я недостаточно хорош.

Вы можете изменить его таким образом:

Я хочу избавиться от стереотипа,
который создает эти ситуации.

Во мне происходят позитивные явления.

У меня прекрасное, стройное тело.

Где бы я ни был, везде пользуюсь успехом.

У меня прекрасная квартира.

У меня замечательная новая работа.

Теперь я очень организован и собран.

Я ценю все, что делаю.

Я люблю и одобряю себя.

Я верю, что жизнь подарит мне
все самое лучшее.

Я заслуживаю самого лучшего
и принимаю его сейчас.

К этим аффирмациям вы можете добавить все, что хотели бы изменить в своем списке. Помните: любовь и одобрение самого себя, спокойная, безопасная атмосфера, вера, достоинство и самоуважение помогают создать благоприятные отношения, активизировать вашу умственную деятельность, нормализовать вес, получить новую работу и жилище. Чудесно, когда растет куст томата! Чудесно, когда мы можем проявлять свои желания и мечты!

Вы заслуживаете иметь желания

Верите ли вы в то, что заслуживаете иметь желания? Если не верите, то вы не позволите себе иметь их. Внезапно возникнут обстоятельства вне вашего контроля и расстроят вас.

УПРАЖНЕНИЕ «Я ДОСТОИН, Я ЗАСЛУЖИВАЮ»

Посмотрите на себя в зеркало и скажите: «Я заслуживаю иметь (быть)... и принимаю это сейчас». Повторите эту аффирмацию два-три раза.

Как вы себя чувствуете? Всегда обращайте внимание на свои чувства и ощущения в своем теле. Чувствуете ли вы себя хорошо или до сих пор ощущаете комплекс неполноценности?

Если в вашем теле появляются неприятные ощущения и отрицательные реакции, значит, вам нужно снова повторить аффирмацию: «Я избавляюсь от стереотипа в моем сознании, который создает сопротивление моему благу». Затем прибавьте новую аффирмацию: «Я заслуживаю...»

Не пытайтесь стать похожими на других, иначе вы потеряете свою индивидуальность.

Повторяйте аффирмации до тех пор, пока неприятные ощущения не исчезнут, если даже на это уйдет несколько дней.

Холистическая философия

Занимаясь созиданием нового, мы можем использовать холистический метод. Холистическая философия включает развитие и питание тела, духа и разума человека. Если игнорируется хотя бы одна из составных частей, человек остается несовершенным, лишенным цельности. Не имеет значения, с чего вы начнете свое совершенствование, при условии, что включите также другие составные части.

Если мы начинаем с тела, то следует отрегулировать питание, изучить связь между выбором продуктов и напитками и нашим самочувствием. Нам нужно отобрать самые подходящие для нашего организма. В том числе травы и витамины, гомеопатические и другие лечебные средства.

Мы должны выбрать также наиболее подходящий комплекс упражнений, укрепляющих костную систему и омолаживающих тело. Кроме плавания и других видов спорта, можно заниматься танцами, боевыми искусствами и йогой. Я очень люблю батут и ежедневно занимаюсь на нем, а наклонная доска помогает мне расслабиться.

Вы могли бы попробовать и другие формы занятий. Полезны также массаж, рефлексотерапия (ступни), акупунктура, хиропрактика, биоэнергетика, рэйки и т. д.

Что касается разума, то можно пользоваться аффирмациями, различными видами визуализации и такими методами психологического исцеления, как гештальт-терапия, гипноз, ребёфинг[1], психодрама, арттерапия и т. д.

Любая форма медитации — прекрасный способ успокоить сознание и дать возможность проявиться своим знаниям и ощущениям. Я обычно просто сажусь с закрытыми глазами, спрашиваю себя: «Что мне нужно узнать?» — и жду ответа. Если получаю ответ — прекрасно, если нет — тоже хорошо. Я получу его на следующий день.

Существует множество семинаров и групп, занимающихся медитацией. Многие из них работают по субботам и выходным дням. Они дают возможность сформировать новую точку зрения на жизнь. Конечно, ни один семинар или группа не могут окончательно решить все ваши проблемы, но, несомненно, они помогают людям изменить жизнь «здесь и теперь».

Для духовного развития и совершенствования вы можете читать молитвы, медитировать. Кроме того, важно установить контакт со своим Высшим Источником. Я полагаю, что упражнения «Прощение» и «Абсолютная любовь» также являются средствами совершенствования духа.

Хочу еще раз напомнить вам, что есть много способов достижения цели. Если не работает один, попробуйте другой. Все они

---

[1] Ребёфинг – современная оздоровительная система.

эффективны и полезны. Я не могу посоветовать какой-нибудь один, конкретный. Это тот случай, когда вы сами должны определить, что вам подходит больше. Никто: ни группа, ни специалист не могут ответить на все ваши вопросы. У меня тоже нет всех ответов. Я лишь показываю вам один из путей к холистическому исцелению.

В бесконечном потоке жизни, частицей которого я являюсь, все прекрасно, цельно, совершенно.

Моя жизнь всегда в движении, и каждый ее миг — неповторимый, новый и очень важный.

Аффирмации помогают мне создать то, что я хочу.

Наступил новый день.

И я другой сегодня.

Я думаю по-другому.

Я говорю иначе.

Я действую по-другому.

И люди обращаются со мной иначе.

Мой новый мир — отражение моего нового образа мыслей.

Мне доставляет истинное наслаждение бросать новые семена в благодатную почву, ибо я знаю: эти семена дадут ростки нового, которое обогатит мой жизненный опыт.

В моем мире все прекрасно.

ГЛАВА VIII
ЕЖЕДНЕВНАЯ РАБОТА НАД СОБОЙ

Я наслаждаюсь, осваивая новый образ мыслей.

Чтобы сделать работу над собой частью вашей жизни, вам придется много тренироваться. Это вполне естественно, так как вы только начинаете учиться. Прежде всего, вам необходима сосредоточенность. Это дается далеко не всем, поэтому многие считают домашнюю работу тяжким трудом. Но я бы так не сказала. Процесс обучения всегда одинаков, независимо от того, чему вы учитесь: водить автомобиль, печатать на машинке, играть в теннис или думать о чем-то хорошем. Если ребенок упал и отказывается идти дальше, он никогда не научится ходить.

Сначала мы все делаем очень неловко и неуверенно, так как наше подсознание обучается методом проб и ошибок, а потом, каждый раз повторяя одно и то же упражнение, мы обретаем легкость. Конечно, не стоит надеяться, что вы все освоите в первый день. Сначала выполняйте упражнение как сможете. Для начала и это хорошо. Повторяйте про себя: «Я стараюсь делать как можно лучше».

Всегда подбадривайте себя

Я прекрасно помню свою первую лекцию. По окончании ее я спустилась с подиума и сказала себе: «Луиза, ты была великолепна! Через пять-шесть лекций ты станешь профессионалом».

Через некоторое время, проанализировав свое выступление, я уже думала о поправках, которые можно внести в текст: где добавить материала, а где, наоборот, убрать лишнее.

Думаю, я делала все правильно, и заниматься самокритикой было бы излишне.

Если бы я начала ругать себя: «Ты была ужасна, ты ошиблась там-то и там-то…» После этого читать вторую лекцию у меня не хватило бы мужества. Но моя вторая лекция оказалась лучше, а после пятой я уже чувствовала себя профессионалом.

Законы, которым подчиняется наша жизнь

Перед тем как приступить к работе над этой книгой, я купила компьютер, который назвала «Волшебная леди». Для меня это было новинкой, которую в ближайшее время нужно изучить. В дальнейшем я пришла к выводу, что обучение работе на ПК схоже с изучением законов духовного развития. Когда я освоила компьютер, он действительно стал являть мне чудеса. Если я в точности не следовала его правилам, он просто отказывался работать. Зато компьютер начинал проявлять волшебство, когда работа с ним проходила в нормальном режиме. Конечно, для этого необходимы большая тренировка и практика.

То же самое можно сказать и о работе, которую вы начнете выполнять. Вы должны изучить законы духовного развития и в точности следовать им. У вас нет возможности изменить их и приспособить к присущему вам типу мышления. Вы должны освоить новый язык, и только после этого волшебство придет в вашу жизнь.

Активизируйте свое обучение

Чем разнообразнее способы обучения, тем больше их можно активизировать и получать от этого удовлетворение. Я предлагаю следующее:

- выражать благодарность (Всевышнему, природе, людям…);
- регулярно записывать аффирмации;
- медитировать;

> Мыслить — естественное состояние вашего мозга, поэтому не пытайтесь отделаться от мыслей.

- произносить аффирмации вслух;
- петь аффирмации;
- заниматься упражнениями на расслабление;
- использовать визуализацию;
- читать и изучать соответствующую литературу.

Моя ежедневная работа

Первая мысль, которая возникает у меня утром, когда я просыпаюсь, — это благодарность Всевышнему за то, что он дал мне возможность не только жить, существовать, но и реально мыслить.

Каждое утро, как обычно, 15 минут я уделяю гимнастике: занимаюсь на батуте и делаю упражнения по аэробике, которые рекомендуются в ТВ-программе. Затем принимаю душ, после чего примерно полчаса занимаюсь медитацией, читаю аффирмации и молитвы.

Теперь я готова к завтраку, который, как правило, состоит из фруктов и фруктовых соков, а также чая, настоянного на целебных травах. Благодарю Кормилицу-Землю за то, что она питает меня.

После завтрака я опять приступаю к аффирмациям: громко читаю их, а иногда даже пою. Они звучат приблизительно так:

Луиза, ты чудесная, я люблю тебя.

Сегодня — лучший день в твоей жизни.

Все у тебя идет прекрасно.

Ты узнаешь все, что хотела бы знать.

Ты получишь все, в чем нуждаешься.

Все идет хорошо.

На ланч я обычно ем порцию салата и опять благословляю еду и благодарю за нее. Ближе к вечеру я провожу несколько минут на одном из тренажеров, чтобы мое тело расслабилось. Иногда одновременно слушаю аудиозапись.

На обед ем сваренные на пару овощи и рис, иногда с рыбой или курятиной. Мой организм лучше воспринимает простую пищу. Я люблю обедать в компании. Перед едой мы благословляем друг друга.

По вечерам люблю почитать или занимаюсь научными исследованиями. Благо, всегда есть что изучать и чему учиться.

Часто (по 10–20 раз) записываю нужную мне именно в это время аффирмацию.

Перед тем как заснуть, я как бы воссоздаю в памяти все события прошедшего дня и отношусь к нему с благоговением. Торжественно заявляю, что буду спать глубоким, крепким сном, а утром проснусь бодрой, полной оптимизма и готовой к новому дню.

Звучит непривычно возвышенно, не правда ли? Действительно, сначала кажется: не слишком ли большую ношу взваливаешь на себя, справишься ли с ней? Но вскоре приходишь к выводу, что новый образ мыслей становится такой же частью вашей обновленной жизни, как выполнение жизненно важных действий, как, например, принятие душа или ванны, чистка зубов, утренняя зарядка и т. д. Вы все это будете делать легко, автоматически, с отличным настроением. Очень хотелось бы, чтобы во всех действиях ежедневно участвовала ваша семья. Это сближает ее членов, способствует взаимопониманию и здоровым отношениям. Например, медитирование в начале каждого дня или перед обедом приносит мир и гармонию во все жизненные моменты. Если вы не уверены, что у вас хватит на это времени, встаньте на полчаса раньше. Польза, которую вы получите, стоит ваших усилий.

Как вы начинаете свой день?

Что вы говорите прежде всего, просыпаясь по утрам? У каждого из нас есть что сказать себе почти каждый день. Какую фразу вы произносите — позитивную или негативную?

Я могу вспомнить время, когда, проснувшись утром, я говорила со стоном: «Господи, еще один день!» И что вы думаете? Именно такой день мне и предстоял: все шло из рук вон плохо. Теперь, просыпаясь и еще не открывая глаз, я благодарю кровать за хороший сон. Затем, все еще с закрытыми глазами, примерно 10 минут произношу благодарственные слова за все хорошее в моей жизни. Затем намечаю некоторые дела на предстоящий день, убеждая себя, что все будет хорошо и я получу от всего удовлетворение. Я вам рассказала о том, что делаю перед тем, как приступить к утренней медитации и молитвам.

Медитация

Каждый день уделите несколько минут медитации. Делайте это сидя. Если вы новичок, начните с пяти минут. Сядьте спокойно, наблюдая за своим дыханием, дайте свободу своим мыслям. Не заостряйте на них особого внимания. Мыслить — естественное состояние вашего мозга, поэтому не пытайтесь отделаться от мыслей.

Есть множество кружков, групп и книг, с помощью которых вы узнаете различные способы медитации. Вне зависимости от того, где и как вы начнете ею заниматься, в конечном итоге сами создадите метод, подходящий именно вам. Что же касается лично меня, то я обычно спокойно сижу и спрашиваю себя: «Что мне нужно знать?» И позволяю ответу прийти ко мне, если он захочет это сделать. Я знаю: если не получится сейчас, то он придет позже. Короче говоря, нет плохих или хороших методов медитации.

А вот другая форма медитации: сядьте и спокойно наблюдайте за своим дыханием. Считайте: «один», когда вдыхаете, и «два», когда выдыхаете. Считайте так до десяти, затем снова начните с одного. Если заметите, что досчитали до 25 или далее, начните считать сначала.

У меня была одна пациентка, казавшаяся мне очень умной и спокойной. Она невероятно быстро все схватывала и к тому же обладала большим чувством юмора. Однако она была очень несобранной, не могла сконцентрироваться на чем-то одном. Ее финансовые дела шли из рук вон плохо, карьера сложилась неудачно, жизнь протекала в основном монотонно, неинтересно, без любви.

Так как она мгновенно все усваивала, ей было очень трудно заставить себя с помощью монотонных упражнений осуществить какие-либо идеи на практике. Работать с данной пациенткой было нелегко, она отняла у меня много сил и энергии. Но труды, как говорится, не пропали даром: в конце концов ежедневная медитация ей очень помогла. Начинали мы с ней с пяти минут, а затем постепенно она достигла 15–20 минут в день.

УПРАЖНЕНИЕ «ЕЖЕДНЕВНЫЕ АФФИРМАЦИИ»

Записывайте одну или две аффирмации по 10–20 раз в день. Читайте их громко, с воодушевлением. Придумайте или используйте какой-нибудь мотив и напевайте его как песню. Пойте радостно и весело. Пусть эти слова весь день звучат в вашей душе. Аффирмации, которые мы повторяем, впоследствии становятся нашими убеждениями и всегда дают результат, который порой мы даже не можем и представить.

Одно из моих убеждений состоит в том, что у меня всегда хорошие отношения с домовладельцами. Так, хозяин квартиры, которую я снимала в Нью-Йорк-сити, был известен как очень трудный в общении человек, на него жаловались все квартиросъемщики. Я прожила в его доме пять лет, но видела его всего три раза.

Когда я решила переехать в Калифорнию, появилась необходимость продать все свое имущество, чтобы начать новую жизнь, не обремененную прошлым. Поэтому я стала читать аффирмации:

Все мое имущество продано быстро и легко.

Мне очень легко двигаться.

Все идет согласно Божественному Праведному Распорядку.

Все идет хорошо.

Я совсем не думала о том, как трудно будет продать вещи и где я буду спать несколько последних ночей. Просто продолжала медитировать. В результате мои пациенты и студенты очень быстро раскупили все мое небольшое имущество и большинство книг. Я письменно известила своего домовладельца об отъезде и прекращении аренды. К моему великому удивлению, он позвонил мне, выражая сожаление по поводу моего решения, и предложил дать рекомендательное письмо новому домовладельцу в Калифорнии. Он попросил разрешения купить мою мебель, поскольку решил в дальнейшем сдавать эту квартиру вместе с обстановкой.

Таким образом, мое сознание реализовало оба убеждения («У меня всегда хорошие отношения с домовладельцами» и «Все будет продано легко и быстро») в такой форме, какую я и не могла представить.

В результате, к большому удивлению остальных жильцов, последние ночи в Нью-Йорк-сити я провела вполне комфортно, в своей квартире, среди своей мебели и на своей кровати. Более того, мне заплатили за это! Я покинула квартиру с небольшим багажом: несколько платьев, фен для волос, соковыжималка, печатная машинка. С чеком на довольно крупную сумму я спокойно села в поезд, отправляющийся в Лос-Анджелес.

Не бойтесь преодолевать препятствия

Когда я приехала в Калифорнию, у меня возникла необходимость купить машину. Поскольку до этого у меня ее не было и я не делала на новом месте регулярных покупок, кредит мне не открыли. Банки также не предоставили бы мне никакого кредита. Уже тот факт, что я — женщина и сама зарабатываю себе на жизнь, только усугублял мое положение. Тратить все свои сбережения на новую машину не имело никакого смысла. Открытие кредита в банке стало настоящей «Уловкой-22»[2], непреодолимым препятствием.

---

[2] «Уловка-22» (англ. Catch-22) — роман американского писателя Джозефа Хеллера. (Википедия)

Я отказалась от каких бы то ни было отрицательных мыслей в сложившейся ситуации. Взяла машину напрокат и продолжала уверять себя, что у меня красивая новая машина, и я легко приобрету ее. Кроме того, я всем говорила, с кем приходилось встречаться, что хочу купить машину, но не могу открыть кредит. Примерно через три месяца я встретила женщину-бизнесвумен, которая прониклась ко мне симпатией. Услышав мою историю, она сказала: «Ладно, я позабочусь об этом». Позвонила подруге в банк (за какую-то услугу та была у нее в долгу) и сказала, что я ее давняя подруга… Через три дня я выехала со стоянки на новом автомобиле.

Я не чувствовала благоговейный страх перед процессом. Считаю, что причиной задержки появления машины на целых три месяца является то, что прежде я никогда не связывала себя ежемесячными платежами, и ребенок во мне испугался. Ему нужно было время, чтобы набраться мужества и сделать решающий шаг.

УПРАЖНЕНИЕ «Я ЛЮБЛЮ СЕБЯ»

Итак, эти дни вы непрестанно внушали себе: «Я одобряю себя». Таким способом вы создали основу для своего дальнейшего изменения. Продолжайте упражнение в течение месяца.

Теперь возьмите лист бумаги и напишите вверху: «Я люблю себя и поэтому…» Закончите эту аффирмацию словами, которые отвечают вашим желаниям на данный момент. Многократно перечитывайте ее, добавляя ежедневно новые фразы. Самая большая польза от этого упражнения заключается в том, что практически невозможно умалить свои достоинства, когда говоришь: «Я люблю себя…»

> Практически невозможно умалить свои достоинства, когда говоришь: «Я люблю себя...»

УПРАЖНЕНИЕ «БЛАГОТВОРНЫЕ ИЗМЕНЕНИЯ»

Представьте себе, что ваша мечта сбылась: вы стали тем, кем хотели стать, и получили то, к чему стремились. Постарайтесь представить это во всех деталях и словно наяву увидеть и ощутить все нюансы своего нового состояния. Обратите внимание, как окружающие реагируют на ваши перемены. Независимо от их реакции, продолжайте выполнять упражнение.

УПРАЖНЕНИЕ «РАСШИРЕНИЕ КРУГОЗОРА»

Читайте как можно больше, чтобы расширить свой кругозор и понять процессы, происходящие в вашем сознании. Прочитав мою книгу, вы сделаете лишь первый шаг. Учитывайте мнения других, обращайте внимание на их манеру высказывать свои мысли. Занимайтесь в группе до тех пор, пока не почувствуете преимущество в своих знаниях по сравнению с другими. Эта работа должна продолжаться всю жизнь. Чем больше вы учитесь, чем больше упражняетесь и применяете знания и навыки на практике, тем лучше вы будете себя чувствовать и тем прекраснее станет ваша жизнь. Наша ежедневная работа над собой оказалась очень плодотворной.

Чем больше методов вы используете в работе над собой, тем быстрее достигнете положительных результатов. В вашей жизни начнут происходить маленькие чудеса. Люди и вещи, которые вы игнорируете, постепенно уйдут из вашей жизни, а ваши мечты начнут воплощаться в жизнь. Я очень удивилась и обрадовалась, когда через несколько месяцев работы над собой стала выглядеть намного моложе, лет на десять.

Любите себя и свое дело

Смейтесь над жизнью и над собой, и ничто не будет раздражать вас. Как бы то ни было, наше пребывание на этой планете — временное. В другой жизни мы в любом случае вели бы себя по-другому, так почему бы не сделать это именно сейчас!

Вы, наверное, читали книги Норманна Казна. Он смехом вылечил себя от смертельной болезни. К сожалению, Норманн не изменил свой образ мыслей, вызвавший эти недуги. Тем не менее смехом он исцелился от всех болезней.

Есть множество способов лечения. Попробуйте все, а затем выберите тот, который больше всего вам подходит.

Ложась спать, закройте глаза и снова поблагодарите Всевышнего за все блага, которые он ниспослал вам, и тогда еще больше хорошего войдет в вашу жизнь.

Не слушайте в это время информационные программы радио и телевидения. Новости — нескончаемый поток отрицательной информации, скорбный перечень несчастий и катастроф, которые, разумеется, вы не хотели бы увидеть и во сне. Во время сна ваш мозг очищается от отрицательных мыслей. Кроме того, во сне вы можете попросить совета или помощи. А утром, проснувшись, получите ответ.

Засыпайте спокойно. Верьте, что жизнь принесет вам счастье, благополучие, веру в себя.

Не думайте о своих упражнениях как о тяжком и нудном труде. Они могут доставлять удовольствие, стать игрой и приносить вам удовлетворение. Все зависит от вас самих. Вы можете сделать приятными даже такие трудные упражнения, как «Прощение» и «Избавление от обиды и гнева». Сочините песенку о человеке или ситуации, от которых хотели бы избавиться. Когда вы поете песенку или частушку, вам становится веселее, а упражнение выполняется намного легче.

Когда я работаю с пациентом индивидуально, я стараюсь как можно скорее рассмешить его. Чем больше мы будем смеяться, тем быстрее все ненужное уйдет от нас. Если бы вам пришлось увидеть свои проблемы на сцене, вы хохотали бы над собой до упаду. Ведь трагедия и комедия — по сути одно и то же. Все зависит только от вашей точки зрения. «О, какие же мы, все смертные, дураки!»

Приложите все усилия, чтобы процесс вашего преобразования стал радостным и приятным.

В бесконечном потоке жизни, частицей которого я являюсь, все прекрасно, цельно, совершенно.

..133

Я служу опорой для себя самого,
а жизнь поддерживает меня.

Я вижу: вся моя жизнь и все
вокруг подчиняются Высшему Закону.

Я с радостью учусь новому.

Мой день начинается
с благодарности и радости.

Я жду каждого нового дня с энтузиазмом,
ибо знаю: в моей жизни все прекрасно.

Я люблю себя и все, чем я занимаюсь.

Я — живое, любящее и радостное
создание, в котором отражается
вся прелесть бытия.

В моем мире все прекрасно.

Часть 3
ПРЕТВОРЕНИЕ ИДЕЙ В ЖИЗНЬ

ГЛАВА I
ОТНОШЕНИЯ

> Все мои отношения с окружающим миром гармоничны.

Мне представляется, что жизнь — система отношений, которые складываются со всем, что нас окружает. Сейчас, когда вы читаете эту книгу, она тоже вызывает у вас определенное отношение и к себе, и ко мне как автору, и к моим взглядам и убеждениям.

Предметы, продукты, погода, транспорт, люди — все вызывает к себе то или иное отношение, которое лишь отражает то, как вы относитесь к самому себе. А отношение к себе, в свою очередь, формируется под сильным воздействием того, как складывались наши отношения со взрослыми в детстве. Наше отношение к себе в значительной степени зависит от того, как

> ## Мне представляется, что жизнь — система отношений, которые складываются со всем что нас окружает.

реагировали люди на нас и наши поступки, когда мы были детьми, и в положительном, и в отрицательном смысле.

Задумайтесь: как вы себя ругаете, если чем-то недовольны? Не так ли бранили вас родители? А что они говорили, когда хотели одобрить ваш поступок? Я уверена, вы хвалите себя точно так же.

Если же они вас вообще не хвалили, то вы просто не знаете, как это сделать, а возможно, и считаете себя недостойным одобрения. Я отнюдь не обвиняю родителей: все мы лишь жертвы тех, кто сам был жертвой. Они не могли научить нас тому, чего не знали сами.

Сондра Рей, выдающийся специалист в области ребёфинга, проделавшая огромную работу по изучению человеческих взаимоотношений, утверждает, что все значимые для нас связи отражают отношения с родителями. Она также полагает, что, полностью не прояснив, как они складывались в нашем детстве, мы не сможем свободно строить свои отношения так, как хотим.

Отношения — зеркало, в котором отражаемся мы сами. Мы притягиваем к себе лишь то, что отражает наши личные качества или представления об отношениях. И это именно так, идет ли речь о начальнике, коллеге или подчиненном, друге, любовнике, супруге, родителях или ребенке.

То, что вам в них не нравится, — следствие ваших собственных поступков, а быть может, действий, от которых вы когда-то воздержались, или ваших убеждений. Вы не смогли бы привлечь этих людей и их не было бы рядом с вами, если бы их образ жизни так или иначе не соответствовал вашему мироощущению.

УПРАЖНЕНИЕ «ВСМОТРИТЕСЬ В СЕБЯ»

Подумайте о том, кто вызывает ваше раздражение. Выделите три главных качества в этом человеке, которые вам особенно неприятны и которые вы хотели бы в нем изменить.

А теперь загляните в себя и спросите: «А не присущи ли и мне эти качества, не поступаю ли и я подобным образом?»

Закройте глаза и проделайте это не спеша.

Потом задайте себе вопрос: «Хочу ли я измениться?»

Когда вы избавитесь от этих привычек и убеждений в своих мыслях и поведении, поверьте, что эти люди тоже изменятся или уйдут из вашей жизни.

Если ваш начальник — придира и ему невозможно угодить, всмотритесь в себя: быть может, вы тоже ведете себя аналогичным способом в определенных ситуациях или убеждены, что начальники всегда всем недовольны и излишне строги.

Если ваш подчиненный не выполняет указаний, проанализируйте свое поведение: не так ли поступаете и вы? Постарайтесь изменить свои убеждения. Уволить легко, но вашу модель поведения это не исправит.

Если коллега не проявляет желания сотрудничать, не хочет работать в команде, подумайте: чем вы могли вызвать такое отношение? Быть может, вы сами не склонны к сотрудничеству?

Если у вас есть друг, на которого нельзя положиться и который не раз вас подводил, постарайтесь вспомнить: когда вы сами оказались ненадежным, подвели друзей? Не является ли это вашей моделью поведения?

Если любимый человек холоден и вам кажется, что он вас не любит, задумайтесь: не полагаете ли вы сами, что любовь должна быть сдержанной и не следует слишком проявлять свои чувства? Возможно, такое мнение сложилось у вас еще в детстве, когда вы наблюдали, как ведут себя ваши родители.

Если ваш супруг или супруга все время ворчит и вы не чувствуете его поддержки, вновь обратитесь к детским воспоминаниям: может быть, такое поведение было свойственно вашим родителям? А вы сами не ведете себя подобным образом?

Вас раздражают привычки вашего ребенка? Я гарантирую: это ваши привычки. Дети лишь подражают взрослым, копируя в своем поведении то, что видят в семье. Освободитесь от вредных привычек сами и увидите, как ваш ребенок меняется буквально на глазах.

Единственная возможность изменить других — сначала измениться самому. Исправьте свою модель поведения,

Отношения — зеркало, в котором отражаемся мы сами. Мы притягиваем к себе лишь то, что отражает наши личные качества или представления об отношениях.

и вы заметите, как меняются к лучшему окружающие вас люди.

Бессмысленно и бесполезно кого-то обвинять. Вы только попусту тратите свою энергию. А энергию надо беречь. Без нее вы ничего не сможете изменить и останетесь лишь беспомощной жертвой, неспособной найти выход.

Как быть любимым

Любовь приходит, когда мы ее совсем не ждем. Настойчивые поиски любви никогда не приводят к выбору подходящего партнера, а лишь порождают тоску и ввергают в несчастье. Любовь не существует вовне, она всегда внутри нас.

Не надо торопить приход любви. Возможно, вы еще к ней не готовы или не достигли того уровня внутреннего развития, который позволит привлечь такую любовь, как вы хотите.

Не стоит связывать свою жизнь с кем-то, только чтобы избежать одиночества. Определите для себя: какой любви вы ждете? Какие качества хотели бы видеть в любимом? И вы непременно встретите такого человека.

Попытайтесь проанализировать: почему вы до сих пор не встретили любовь? Возможно, вы чрезмерно строги? Или чувствуете себя недостойным ее? А может, предъявляете завышенные требования? Хотите, чтобы ваш избранник походил на звезду экрана? Боитесь интимной близости? Считаете, что вам нельзя полюбить?

Будьте готовы к приходу любви. Подготовьте для нее почву, берегите и лелейте ее. Будьте любящими — и будете любимы.

Откройте для любви свое сердце и примите ее, как прекрасный дар.

В бесконечном потоке жизни, частицей которого я являюсь, все прекрасно, цельно, совершенно.

Я живу в согласии и гармонии со всеми, кого я знаю.

В глубине моей души — неиссякаемый источник любви.

Я разрешаю ей выйти на поверхность, и любовь заполняет мое сердце, мое тело, мой разум, сознание,

все мое существо.

Я излучаю любовь, и она возвращается ко мне многократно умноженной.

Чем больше любви я получаю, тем больше отдаю.

Этот кладезь неистощим.
Мне хорошо, когда я люблю:
любовь выражает радость,
которая живет во мне.

Я люблю себя и поэтому нежно
забочусь о своем теле.

Я холю его и лелею, вкусно кормлю,
пою и хорошо одеваю, и оно отвечает мне
крепким здоровьем и энергией.

Я люблю себя, поэтому у меня
удобный дом, где есть все,
что мне нужно, и где приятно находиться.

Я наполняю свой дом флюидами любви,
и кто бы ни зашел сюда, включая и меня,
ощутит любовь и будет ею согрет.

Я люблю себя, поэтому делаю работу, которая мне нравится и позволяет раскрыть мои таланты и созидательные способности.

Я работаю для тех и с теми, кого люблю и кто любит меня; при этом я хорошо зарабатываю.

Я люблю себя, поэтому думаю обо всех с любовью и с любовью к ним отношусь.

Я знаю: то, что отдаю, воздается сторицей.

Я привлекаю в свой мир только любящих людей, потому что в них отражаюсь я сам.

Я люблю себя, поэтому живу только настоящим, ощущая прекрасным каждое мгновение и зная, что меня ждет светлое, радостное и спокойное будущее.

Я — возлюбленное дитя Космоса.
Космос заботится обо мне с любовью,
и так будет всегда.
В моем мире все прекрасно.

ГЛАВА II
РАБОТА

Все, что я делаю, доставляет мне глубокое
удовлетворение.

Вам нравится эта аффирмация? Хотите, чтоб так было и у вас? Так что вам мешает? Быть может, вы сами себя ограничиваете, внушая мысли вроде этих: «Я терпеть не могу эту работу», «Я ненавижу своего начальника», «Я мало зарабатываю», «На работе меня не ценят», «Я не умею ладить с коллегами», «Не знаю, чем бы мне хотелось заняться».

Это негативный тип мышления, отражающий вашу защитную реакцию. Как вы думаете, к чему хорошему он вас может привести? Поверьте, вы начали не с того: вам надо полностью избавиться от подобных мыслей.

> ## Работайте как можно лучше, и Космос будет знать, что вы заслуживаете продвижения.

Если вам не нравится работа и вы хотите ее поменять, если у вас на работе проблемы или вообще ее сейчас нет, лучшее, что вы можете сделать, — подумать о своем нынешнем положении с любовью, осознать, что это лишь шаг на жизненном пути и то, где вы сейчас находитесь, определено вашими нынешними убеждениями. Если к вам не относятся так, как вам хотелось бы, значит, в вашем сознании существует стереотип мышления, вызывающий данное отношение. Подумайте с любовью о своей нынешней работе или о той, которую вы исполняли в последнее время: и о здании, лифте, лестницах, мебели, оборудовании, и о тех, на кого и для кого вы трудитесь.

Внушайте себе: «Мне всегда везло на руководителей. Мой начальник относится ко мне с уважением. Он вежлив, щедр и с ним очень легко работать». Позвольте этим мыслям укорениться в сознании, это поможет вам в дальнейшем; и если вы когда-нибудь сами станете начальником, то будете именно таким.

Расскажу вам об одном молодом человеке, который получил новую работу и очень нервничал. Я помню, как сказала ему: «Почему это у тебя не получится? Ты непременно добьешься успеха. Распахни свое сердце и дай талантам возможность раскрыться. Отнесись с любовью к учреждению, где тебе предстоит работать, к тем, на кого ты трудишься, к коллегам — и все будет хорошо».

Он последовал моему совету и добился большого успеха.

Если вы решили оставить или сменить работу, убедите себя, что с любовью передаете ее тому, кто мечтает именно о таком труде.

Поверьте, что такие люди, конечно же, есть, и сегодня жизнь сводит вас вместе на своей шахматной доске.

АФФИРМАЦИЯ РАБОТЫ

Я полностью открыт и готов воспринять

замечательную новую работу,

которая позволит мне проявить

свои таланты и способности,

выразить творческие возможности

и получить от этого удовлетворение.

Я люблю тех, с кем и для кого тружусь,

и они тоже любят и уважают меня.

Я работаю в прекрасном месте и при этом хорошо зарабатываю.

Если вас кто-то раздражает на работе, благословляйте его с любовью. В каждом человеке аккумулируются самые разные качества. Быть может, мы этого и не хотим, но при определенных обстоятельствах каждый может стать Гитлером или Матерью Терезой.

Если человек излишне строг и придирчив, утверждайте, что он доброжелателен и любвеобилен. Если брюзга — убедите себя, что он веселый и с ним очень приятно проводить время. Если проявляет жестокость, внушите себе, что его главная черта — доброта и сострадание. Если вы будете замечать в человеке только хорошие качества, он непременно будет проявлять в отношениях с вами именно эти черты, независимо от того, как ведет себя с другими.

Моему знакомому предложили новую работу: играть в клубе на фортепьяно. Хозяин этого заведения славился своей скаредностью и непорядочностью. Подчиненные даже прозвали его «Господин Смерть». Вот что я сказала, когда ко мне обратились за помощью: «В каждом человеке есть положительные качества. Не важно, как реагируют на вашего начальника другие сотрудники. К вам это не имеет ни малейшего отношения.

Думайте о нем всегда с теплом и любовью. Скажите себе: «У меня всегда были замечательные начальники». Повторяйте это снова и снова».

Мой знакомый последовал этому совету, и у него все получилось. Начальник стал с ним приветливо здороваться, потом выплатил премию и даже пригласил играть еще в нескольких клубах. Однако с остальными работниками, которые продолжали негативно думать о начальнике, он по-прежнему обращался дурно.

Если работа вам нравится, но вы считаете, что вам мало платят, скажите себе, что и сейчас неплохо зарабатываете. Когда мы благодарны за то, что имеем, это дает возможность для дальнейшего роста. Убедите себя, что ваше сознание открывает путь к большему благосостоянию и прибавка к жалованью — лишь шаг на этом пути. Повторяйте, что вы заслуживаете прибавки вовсе не потому, что недовольны нынешним положением. Единственная причина — вы прекрасное приобретение для компании, и хозяева мечтают поделиться с вами прибылью. Работайте как можно лучше, и Космос будет знать, что вы заслуживаете продвижения.

Нынешнее положение зависит только от вашего сознания. Оно или сохранит его, или позволит вам продвинуться дальше. Дело за вами. Все в ваших руках.

В бесконечном потоке жизни, частицей которого я являюсь, все прекрасно, цельно, совершенно.

Уникальные таланты и творческие
способности, берущие начало
в моем естестве, выходят наружу
и реализуются, принося мне
глубокое удовлетворение.

Так много людей
нуждается в моей помощи!

Я нужен им и могу выбирать работу,
которую хочу.

Я хорошо зарабатываю,
занимаясь тем, что мне нравится.

Моя работа доставляет
мне радость и удовольствие.

В моем мире все прекрасно.

ГЛАВА III
УСПЕХ

Любой опыт несет в себе успех.

Что такое неудача? У вас что-то получилось не так, как вы хотели или надеялись? Закон приобретения опыта действует очень четко. Мысли и убеждения находят точное отражение в нашей реальной деятельности. Вы потерпели неудачу, если упустили что-то важное, оступились, быть может, внутренний голос сказал вам, что вы не заслужили успеха, или в глубине души вы почувствовали себя недостойным желаемого результата.

Это похоже на работу с компьютером. Когда происходит сбой — виновата я сама. Значит, я нарушила правила его работы и мне надо еще кое-чему научиться.

Старая поговорка гласит: «Если не получилось с первого раза, попробуй еще». И это абсолютно верно. Только не надо ругать себя за неудачу и повторять старые ошибки. Важно понять, в чем вы заблуждались, и попробовать по-другому — до тех пор, пока у вас не получится.

Я полагаю, что идти всю жизнь от успеха к успеху — право, данное нам от рождения. А если так не происходит, значит, мы пока еще не сумели правильно оценить свои способности, не верим в возможность успеха или просто его не осознаем.

Когда мы слишком высоко поднимаем планку и ставим не выполнимую на сегодняшний день задачу, неудача неизбежна.

Вспомните: когда ребенок учится ходить или говорить, мы хвалим его за каждый маленький успех. Ребенок сияет от счастья, старается изо всех сил. А вы хвалите себя, когда пытаетесь научиться чему-то новому? Или мешаете себе, называя тупицей и неудачником?

Многие актеры и актрисы считают, что должны сыграть блестяще уже на первой репетиции. Я же всегда напоминаю им, что репетиция существует для того, чтобы учиться. Во время нее можно и ошибиться, но можно и попробовать что-то новое. Только практика помогает научиться новому, пока оно не становится неотъемлемой частью нас самих. Высокий профессионализм в любой области всегда является результатом многолетнего напряженного труда. Не повторяйте моей ошибки: я часто боялась попробовать что-то новое. Не зная, как это делается, я не хотела глупо выглядеть в глазах других. Процесс обучения невозможен без ошибок. И вы будете их совершать, пока в вашем подсознании не сложатся правильные представления.

Не важно, как давно вы считаете себя неудачником, — начните создавать модель успеха прямо сейчас. Независимо от того, где и кем вы работаете, принцип один и тот же: посейте семена успеха. Они обязательно прорастут и дадут прекрасный урожай.

Божественный разум предоставляет мне все идеи, которые я могу использовать. Во всем мне сопутствует успех.

Мир — безбрежное море возможностей
для всех, включая меня.

Многие нуждаются в моей помощи.

Я закладываю новое
представление об успехе:

Я вхожу в круг победителей.

Я — магнит для Божественного
Благоденствия.

Мои самые заветные мечты благословенны.

Я притягиваю к себе все сокровища мира.

И повсюду передо мной открываются
великолепные возможности.

Выберите любую из этих строк и повторяйте в течение нескольких дней. Потом перейдите к следующей и так далее. Пусть эти идеи заполнят ваше сознание. Не беспокойтесь о том, как претворить их в жизнь. Возможности для этого непременно представятся. Доверьтесь своему интеллекту, он выведет вас на правильный путь. Ведь вы, бесспорно, заслуживаете успеха во всем, чем бы вы ни занимались.

В бесконечном потоке жизни, частицей которого я являюсь, все прекрасно, цельно, совершенно.

Я неразрывно связан с той Великой Силой, которая создала и меня.

Я обладаю всем необходимым, чтобы добиться успеха.

А сейчас я разрешаю формуле успеха заполнить все мое сознание и претвориться в моей жизни.

Все, что мне предназначено совершить, будет успешным.

Я учусь на своем опыте.

Я иду от успеха к успеху, от триумфа к триумфу.

> Мой жизненный путь — цепь шагов,
> ведущих к еще большему успеху.
> В моем мире все прекрасно.

ГЛАВА IV
БЛАГОСОСТОЯНИЕ

> Я заслуживаю лучшего и готов его
> принять прямо сейчас.

Если вы хотите, чтобы то, что говорится в данной аффирмации, исполнилось для вас, не верьте следующим утверждениям: «Деньги не растут на деревьях», «Деньги — вещь грязная и мерзкая», «Деньги — зло», «Я хоть и бедный, но честный», «Все богачи — обманщики (негодяи)», «Не хочу иметь много денег и этим гордиться», «Мне не найти хорошую работу», «Мне никогда не заработать много денег», «Деньги быстрее уходят, чем приходят», «Я вечно в долгах», «Беднякам не выбиться из нужды», «Истинным художникам всю жизнь приходится бороться», «Деньги есть только у жуликов», «Побеждает всегда кто-то другой, только не я», «О, я бы не запросил так много!», «Я этого не заслуживаю», «Я недостаточно хорош, чтоб

прилично зарабатывать», «Никому не говорите, сколько денег у вас на счету», «Никогда не одалживайте», «Копейка рубль бережет», «Откладывайте на черный день», «Экономическая депрессия может начаться когда угодно», «Меня раздражает, если у кого-то много денег», «Деньги достаются тяжким трудом».

Итак, вы разделяете хотя бы некоторые из этих убеждений? И при этом полагаете, что, следуя им, можно стать состоятельным человеком?

Это стереотип старого, ограниченного мышления. Возможно, именно так относились к деньгам в вашей семье: ведь, как известно, мы продолжаем разделять семейные убеждения, пока сознательно от них не откажемся. Как бы то ни было, вы должны избавиться от подобных идей, если действительно стремитесь к достатку.

Для меня настоящее благополучие начинается с того, чтобы думать о себе хорошо. Это еще и свобода выбора: делать то, что хочешь и когда хочешь. И дело тут вовсе не в том, сколько у вас денег. Благополучие — состояние души. Благосостояние или его отсутствие является отражением ваших мыслей и идей.

Вы заслуживаете благосостояния

Если мы не убеждены, что заслуживаем благосостояния, то даже когда достаток идет к нам прямо в руки, так или иначе от него отказываемся. Вот пример. Мои занятия посещал юноша, очень хотевший добиться благосостояния. Однажды он пришел на занятия перевозбужденный и рассказал, что

> Будьте благодарны за то, что имеете, и будете иметь больше.

только что выиграл 500 долларов. «Просто не верю! Я ведь никогда не выигрываю!» — повторил он несколько раз. Мы поняли, что в его сознании происходят изменения. Однако юноша все еще продолжал чувствовать себя недостойным. И что же?! На следующей неделе мой ученик не смог прийти на занятия, так как сломал ногу. Счет от врача составил ровно 500 долларов.

Дело в том, что он боялся продвинуться вперед в новом направлении, к благосостоянию, и сам себя таким образом наказал.

Сосредоточьте свое внимание на растущих доходах, но не на подлежащих оплате счетах. Если все время думать о нужде и долгах, это приведет к еще большей нужде и долгам.

Космос — неисчерпаемый источник, из которого вы можете получить абсолютно все. Как-нибудь вечером взгляните на ясное небо и попробуйте пересчитать звезды, или горсть песчинок на ладони, или листья на ветке, или капли дождя на оконном стекле, или семена в помидоре. Вы только представьте себе, что из каждого такого зернышка вырастет целый

куст томатов, на котором будет много плодов. Будьте благодарны за то, что имеете, и будете иметь больше.

Я всегда благословляю с любовью все, что у меня есть: свой дом, свет и тепло в нем, воду, телефон, мебель, электроприборы и утварь, одежду, средства передвижения, работу, деньги, которые имею, друзей, способность видеть, чувствовать, осязать и ощущать вкус, ходить и наслаждаться красотой нашей невероятно прекрасной планеты.

Только собственное убеждение, что бедность и нужда неизбежны, мешает нам добиться благосостояния. А что конкретно мешает вам?

Быть может, вы полагаете, что деньги нужны только затем, чтобы помогать другим, и таким образом расписываетесь в собственной никчемности?

Убедитесь, что сами не отказываетесь от благосостояния. Когда вас приглашают на обед или на ужин — примите приглашение с радостью и удовольствием. И не думайте, будто это лишь формальный обмен любезностями. Вы получили подарок — возьмите его с благодарностью. Если он вам почему-то не подходит — передарите тому, кому он нужнее. Улыбайтесь и говорите «спасибо», когда вам что-то дарят или делают добро. Дарите и творите добро сами. Пусть этот поток будет непрерывным. Так вы дадите Космосу знать, что готовы принять то благо, которым он хочет вас одарить.

Приготовьте место для нового

Приготовьте место для нового. Очистите холодильник, выбросив все эти маленькие недоеденные кусочки, завернутые

Только практика помогает научиться новому, пока оно не становится неотъемлемой частью нас самих. Высокий профессионализм в любой области всегда является результатом многолетнего напряженного труда.

в фольгу. Освободите шкафы: избавьтесь от вещей, которыми месяцев шесть уже не пользуетесь. А уж если что-то не понадобилось вам в течение года, не сомневайтесь ни на минуту — непременно уберите, продайте, обменяйте, отдайте или даже сожгите.

Беспорядок в шкафах олицетворяет сумятицу в голове. Разбирая шкафы, скажите: «Я разбираю завалы в своей голове (освобождаю свое сознание)». Космос любит символические жесты.

Поверьте, когда я впервые услышала: «Богатства Космоса доступны всем», эта мысль показалась мне смехотворно нелепой.

«А как же обездоленные бедняки, — подумала я, — или что делать с моей безысходной бедностью?» Я злилась, когда мне говорили: «Твоя бедность — результат представлений, живущих в твоем сознании». Прошло немало лет, прежде чем я поняла: единственный, кто виноват в том, что у меня мало средств, я сама. Причина была в моей твердой убежденности, что я «не достойна», «не заслуживаю достатка», что «деньги добываются с трудом», а у меня «нет ни талантов, ни способностей». Именно эти мысли держали меня в плену комплекса отказа от благосостояния («не иметь»).

«Проще всего кичиться богатством!» Как вы отнесетесь к такому заявлению? Полагаете верным? Не согласны? Рассердились? Или остались безразличны? Хотите швырнуть эту книгу на пол? Если оно вызвало у вас любую из этих реакций, ОЧЕНЬ ХОРОШО! Значит, я сумела добраться до глубины вашего естества, где вы пытаетесь сопротивляться правде, задела вас за живое. Есть над чем работать! Время пришло — дайте своим талантам возможность проявиться, откройте дорогу достатку, и поток всяческих благ вас не минует.

Относитесь к своим счетам с любовью

Очень важно прекратить беспокоиться о деньгах и негодовать по поводу подлежащих оплате счетов. Многие воспринимают счета как своего рода наказание, которого надо постараться избежать. Однако на самом деле счета подтверждают нашу платежеспособность. Кредитор, полагая вас достаточно состоятельным, предоставляет вам товары и услуги в долг. Я благословляю с любовью каждый счет, который ко мне приходит, и каждый чек, который подписываю. Я даже запечатлела на нем поцелуй. Если вы платите с раздражением, вряд ли деньги к вам возвратятся. Но стоит проделать то же самое с любовью и радостью, как вы откроете свободный доступ потоку изобилия. Не комкайте деньги, засовывая в карман, — относитесь к ним по-дружески.

Не работа, счет в банке, капиталовложения, не супруг, супруга или родители являются гарантом вашей финансовой безопасности, а лишь способность вступить в контакт с космической энергией, создающей все и вся.

Мне радостно сознавать, что та самая энергия, живущая и во мне, создает все, в чем я нуждаюсь, и делает это так легко и просто. Космос щедр и изобилен. Наше право, данное нам от рождения, — получать от него все, что нужно. Только не надо убеждать себя в обратном.

Пользуясь телефоном, я неизменно благословляю его с любовью. И что же? Он приносит мне только добрые вести и приятные сообщения. Так же я отношусь и к почтовому ящику — и каждый день он переполнен извещениями о денежных переводах и чудесными, теплыми письмами от друзей, пациентов и читателей. Получая счета, я всегда радуюсь, испытывая чувство благодарности к компаниям, которые мне доверяют. Я благословляю дверной звонок и входную дверь, зная, что в мой дом приходит только добро. И так оно и происходит.

Идеи для всех

Один предприниматель, бондарь по роду деятельности, решил расширить свое дело и стал посещать мои занятия. Считая себя хорошим специалистом, он надеялся довести свой доход до 100 000 долларов в год. Я поделилась с ним своими идеями, теми же, что излагаю вам. Вскоре он заработал так много, что смог вложить деньги в китайский фарфор. Он стал проводить больше времени дома, наслаждаясь красотой вещей, которые приобрел благодаря увеличению своего дохода.

Радуйтесь, когда другим повезет

Не ставьте заслон на пути собственного благополучия, раздражаясь или завидуя, если кому-то живется лучше, чем вам. Не делайте замечаний по поводу того, кто и как тратит деньги. Это вас не касается.

Каждый живет, подчиняясь закону собственного сознания. Займитесь-ка лучше собой. Благословите удачу, улыбнувшуюся другим, и твердо знайте, что в мире всего для всех предостаточно.

Вы, случайно, не скупец? Не жалеете чаевых? Не читаете нотаций уборщицам? Не забываете в канун Рождества о швейцарах в офисе и о консьержке? Не экономите, когда нет необходимости, покупая несвежие, лежалые овощи и вчерашний хлеб? Не делаете покупки в захудалом магазинчике? Не заказываете в ресторане самые дешевые блюда?

Знайте, что существует закон потребностей и их удовлетворения.

Потребности — прежде всего, а уж деньги обладают способностью приходить туда, где они нужнее. Заметьте, что даже очень бедной семье обычно удается собрать деньги на похороны.

Визуализация — океан изобилия

Имейте в виду, что ваше представление о благосостоянии не зависит от дохода, совсем наоборот — ваш доход зависит от этого представления. Думайте, что хотите иметь больше, и так оно и будет. Мне нравится представлять, как я стою на берегу океана и любуюсь им, зная, что это — океан изобилия и он мне доступен. Посмотрите, что вы держите сейчас в руках: чайную ложку, наперсток, бумажный стаканчик, чашку, бокал, кувшин, ведро или таз, а может, трубопровод соединяет вас с этим океаном? Оглянитесь вокруг, и вы поймете: совершенно не важно, сколько здесь собралось народу и с каким сосудом они пришли. Хватит на всех. Океан не исчерпать. А вот сосуд, который вы держите в руках и который всегда можно заменить на больший, и есть ваше сознание. Проделывайте это упражнение как можно чаще, и вы ощутите бесконечность пространства и безграничность возможностей.

Раскройте свои объятия

По крайней мере раз в день я удобно усаживаюсь, как бы раскрыв объятия, словно хочу обнять весь мир, и говорю: «Я открыта и готова воспринять все блага и дары Космоса». Это дает мне удивительное ощущение пространства, его безграничности и необъятности возможностей, которые есть всегда и повсюду. Космос щедро делится с нами всеми благами, но он может передать только то, что присутствует в нашем сознании. Для меня же не составляет труда создать представление о чем-то большем в своем сознании. Это как космический банк: мысленно я делаю в него вклады, расширяя представление о собственных созидательных способностях. Наши вклады — медитация, исцеляющие наговоры (тексты) и аффирмации. Так давайте вносить эти вклады в космический банк ежедневно.

Дело не просто в том, чтобы иметь больше денег. Этого недостаточно. Мы хотим получать от них удовольствие. Скажите, а вы так поступаете? Почему нет? Можно найти великое множество путей и способов доставлять себе маленькие радости. Вы потратили на прошлой неделе деньги на что-нибудь приятное для себя? Почему вы этого не сделали? Какие старые убеждения вам помешали? Избавьтесь от них. И не относитесь к деньгам слишком серьезно. Деньги — лишь средство обмена. Всего-навсего. Подумайте: что бы вы делали и как бы себя вели, если бы в них не нуждались?

Джерри Гиллс, автор книги «Любовь к деньгам», одной из лучших, на мой взгляд, на эту тему, предлагает создать своего рода «штрафную копилку». Идея в том, что каждый раз, стоит вам выразить недовольство собственным финансовым положением, мы обязаны вложить в «штрафную копилку» определенную сумму, а в конце недели потратить на что-нибудь для себя приятное.

Необходимо в корне пересмотреть свое отношение к деньгам. Как я убедилась, гораздо легче провести семинар о сексе, чем о деньгах. Люди обычно злятся, когда их устоявшиеся представления об этом предмете вызывают чье-то возражение. Даже те, кто приходит ко мне на занятия с отчаянным желанием разбогатеть, буквально из себя выходят, стоит мне попытаться изменить их крайне ограниченные представления о деньгах, достатке и благосостоянии.

«Я хочу измениться». «Я хочу избавиться от прежних негативных убеждений». Это две очень важные аффирмации, и иногда приходится очень подолгу с ними работать, чтобы, освободив место для новых идей, начать создавать собственное благополучие.

Избавьтесь от стереотипа фиксированного дохода. Не ограничивайте Космос, настаивая, что у вас ТОЛЬКО некий определенный доход или заработок и больше нет никаких средств. Зарплата, доход — лишь СПОСОБ, ПУТЬ, которым вы можете получить то, что хотите. ЭТО НЕ ИСТОЧНИК. Источник же один — КОСМОС.

Путей и способов существует множество. Надо быть открытым для их восприятия. Возможности получения благ и доходов могут быть любые — дайте этой мысли утвердиться в вашем сознании. Вы нашли на улице десятицентовую монетку — скажите источнику «спасибо». Пусть вы получили самую малость, главное — перед вами открываются новые пути.

Я открыт и готов воспринять доход любыми новыми путями.

Я получаю блага из ожидаемых и неожидаемых источников.

Я не ограничиваю себя, принимая блага из неиссякаемого источника, бесконечным многообразием путей и способов.

Радуйтесь малому — в этом ростки нового

Стремясь к благосостоянию, мы обязательно достигаем того уровня, который соответствует нашим представлениям о том, чего мы заслуживаем. Расскажу вам об одной писательнице, которая хотела увеличить свой доход. Ее аффирмация гласила: «Я хорошо зарабатываю писательским

трудом». Как-то она зашла в кафе, где обычно завтракала, и, удобно устроившись за столиком, вынула свои записи, приготовилась поработать. Неожиданно к ней обратился менеджер: «Вы ведь писательница? Так, может, и для меня кое-что напишете?» Он принес несколько фирменных бланков и попросил написать на каждом: «Индейка на ланч — всего 3,95 доллара». За это менеджер предложил ей бесплатный завтрак.

Это небольшое событие отразило начало изменений, происходящих в ее сознании. И в дальнейшем она с успехом продавала свои книги.

Осознайте свое благосостояние

Начните осознавать свое благосостояние везде и во всем и непременно радуйтесь этому. Реверенд Айк, известный миссионер-евангелист из Нью-Йорка, любит вспоминать, как в бытность свою еще бедным проповедником часто проходил мимо шикарных ресторанов, богатых домов, дорогих автомобилей, витрин с изысканной одеждой и громко говорил: «Это для меня, это — по мне!» Получайте удовольствие при виде прекрасных вилл, банков, роскошных магазинов, яхт. Осознайте все это как часть ВАШЕГО достатка. Таким образом вы расширяете свое сознание, принимая или включая в него все то, что вам хотелось бы иметь. Увидев хорошо одетых людей, подумайте: «Разве не замечательно, что они так богаты? Для всех нас всего предостаточно». Мы ведь не гонимся за чужими благами, а хотим лишь того, что должно принадлежать нам.

И в то же время мы ничем не владеем. Мы лишь пользуемся неким имуществом, пока оно не переходит к кому-то другому. Иногда, правда, оно остается в семье на протяжении жизни нескольких поколений, но все равно в конце концов уйдет. В этом проявляется естественный ход и ритм жизни. Вещи приходят и уходят. Я верю, что если что-то уходит, то лишь затем, чтобы освободить место для нового и лучшего.

Принимайте комплименты

Многие хотят разбогатеть, но совершенно не воспринимают комплименты. Я знаю некоторых молодых, подающих надежды актеров и актрис, мечтающих стать звездой, но они просто съеживаются, когда слышат комплимент.

Однако комплимент — это подарок, который несет нам процветание. Научитесь принимать их любезно и с радостью. Я всегда улыбаюсь и благодарю, если получаю комплимент или подарок. Так научила меня моя мать, когда я была совсем маленькой. И я следую этому правилу всю свою жизнь.

Еще лучше ответить на комплимент комплиментом. В таком случае сделавший вам комплимент почувствует, будто сам получил подарок. Принимайте все, что посылает вам жизнь, с благодарностью и щедро делитесь с другими. Пусть этот процесс будет непрерывным.

Радуйтесь, что можете просыпаться каждое утро и проживать новый день. Будьте счастливы, что вы живы, здоровы, имеете друзей, обладаете способностью творить и ощущать радость бытия. Стремитесь к высшему знанию, наслаждайтесь процессом собственной трансформации.

В бесконечном потоке жизни,

частицей которого я являюсь,

все прекрасно, цельно, совершенно.

Я принадлежу Божественной Силе,

давшей мне жизнь.

Я с открытой душой принимаю все блага,

щедро посылаемые мне Космосом.

Все мои потребности и желания

удовлетворяются прежде,

чем я об этом попрошу.

Меня направляет и защищает

Божий промысел, благодаря которому

я всегда делаю правильный выбор.

Памятуя о безграничной

щедрости Провидения,

я всегда радуюсь успехам других людей.

Я всемерно стремлюсь развить в себе сознание того, насколько щедра жизнь, благодаря чему постоянно растет мое материальное благополучие. Это всех и отовсюду исходит добро. Все прекрасно в моем мире.

ГЛАВА V
НАШЕ ТЕЛО

Я с любовью прислушиваюсь к сигналам, которые посылает мне мое тело.

Я убеждена, что мы сами становимся виновниками своих так называемых «болезней». Наше тело, как и все сущее, отражает наши мысли и мировоззрение. Стоит только прислушаться к своим ощущениям, как станут понятны сигналы тела, ведь оно каждой своей клеточкой отзывается на наши слова и мысли.

Привычный образ мыслей, наши высказывания определяют и наше поведение, расположение духа, здоровье и нездоровье. Тот, кто постоянно хмур, явно далек от радостных мыслей и доброго расположения духа. Сколь длительным может быть воздействие стереотипов мышления, особенно заметно по лицам пожилых людей. А как в их возрасте будете выглядеть вы?

В эту часть я включила перечень губительных для здоровья стереотипов мышления, а также новых, целительных стереотипов, или аффирмаций. Я уже приводила его в книге «Исцели свое тело любовью». Кроме того, я проанализировала некоторые наиболее типичные жизненные ситуации, чтобы дать представление о том, как мы сами создаем себе проблемы.

Разумеется, не все упомянутые мной стереотипы на 100% верны для каждого человека. Тем не менее, прочитав о них, вы сможете понять истинную причину своего недуга. Многие специалисты по нетрадиционной медицине, которые постоянно используют в работе книгу «Исцели свое тело любовью», считают включенные в этот перечень стереотипы верными на 90–95%.

* * *

ГОЛОВА олицетворяет собой наше «я» в общении с миром. По ней о нас обычно судят окружающие; недомогания в этой области означают: что-то неладно с нашим «я».

ВОЛОСЫ — показатель нашей силы. При стрессе, испуге в плечевых мышцах возникает сильнейшее напряжение, которое передается коже головы и, бывает, распространяется

Наше тело, как и все сущее, отражает наши мысли и мировоззрение.

дальше, на кожу вокруг глаз. Волосы растут из фолликулов (волосяных мешочков), которые при чрезмерном напряжении кожи сжимаются, лишая волосы возможности нормально дышать, отчего те отмирают и выпадают. При постоянном напряжении фолликулы остаются сжатыми, не давая волосам отрасти заново. Это ведет к облысению.

Женское облысение получило распространение с тех пор, как женщины начали осваивать полный стрессов мир бизнеса. Оно остается незаметным для окружающих благодаря искусным парикам, в которых потерявшие волосы женщины, в отличие от большинства мужчин, выглядят естественно и привлекательно.

Неспособность расслабиться говорит не о силе, а о слабости человека. Напротив, способность освободиться от напряжения, успокоиться, сконцентрироваться на своем внутреннем «я» дает силу и уверенность. Умение снимать физическое напряжение необходимо всем, и многим, в частности, полезно научиться снимать напряжение с кожи головы.

УШИ — их состояние зависит от того, насколько мы готовы к общению с окружающими. Обычно причиной боли в ушах является нежелание слышать неприятные вещи. Если болят уши, значит, услышанное вывело нас из равновесия.

Уши часто болят у детей, которым дома приходится сталкиваться с чем-то неприятным, о чем они не желали бы знать; к тому же детям запрещают вслух выражать свой гнев, а осознание собственного бессилия усиливает болезнь.

ГЛУХОТА — это следствие длительного нежелания слушать. Замечали ли вы, что партнер глуховатого человека обычно говорит без умолку?

ГЛАЗА — индикатор нашей готовности видеть мир. Если с ними возникают проблемы, это, как правило, означает, что мы не желаем замечать нечто в собственной жизни либо в окружающем мире (в прошлом, настоящем или будущем).

Если очки вынуждены носить малыши, можно с уверенностью сказать, что у них неладно дома, и дети в прямом смысле отказываются на что-то смотреть. Бессильные изменить ситуацию к лучшему, они неосознанно стараются расфокусировать зрение, чтобы лишиться способности ясно различать окружающее.

Многим пациентам удалось добиться поразительных успехов, когда, вернувшись мысленно в прошлое, они освобождались от ощущения неприятия, возникшего в связи с какими-либо обстоятельствами за год или два до того, как им были выписаны очки.

Вы отвергаете что-то в своем настоящем? Чего-то боитесь? Настоящего или будущего? Если бы сохранили хорошее зрение, что бы вы хотели увидеть, чего не видите сейчас? Вы понимаете, что навлекаете на себя своим нежеланием видеть?

Интересные вопросы, не правда ли?

Зачастую мы думаем, что нас поддерживают только работа, семья или супруг, в действительности же нам всем покровительствуют Космос и сама жизнь.

ГОЛОВНЫЕ БОЛИ происходят от заниженной самооценки. Когда у вас в очередной раз заболит голова, спросите себя, в чем и по какой причине вы поступили неправильно по отношению к себе. Простите себя, освободитесь от чувства вины, и головную боль как рукой снимет.

ПРИДАТОЧНЫЕ ПАЗУХИ НОСА — как правило, боль в них вызвана раздражением на близкого человека.

Мы забываем, что сами создаем ситуации, которые заставляют нас страдать, а потом лишаем себя душевных сил, обвиняя в своих несчастьях других. Надо помнить, что никто и ничто не властно над нами, потому что мы живем по собственному разумению, приобретая опыт, творя свою действительность и тех, кто нас в ней окружает. Мир в душах и умах оборачивается миром в реальной жизни.

ШЕЯ И ГОРЛО требуют особого внимания, потому что исключительно уязвимы для всякого рода болезнетворных стереотипов.

ШЕЯ — это способность к гибкости мышления, восприятию чужого мнения, нового взгляда на проблему. Как правило, болезни шеи вызывает упрямое, фарисейское нежелание взглянуть на ситуацию по-новому. Об этом свидетельствует, например, жировой «воротник». Как-то Вирджиния Сэтир, блестящий семейный врач, шутки ради подсчитала, что существует более 250 способов мыть посуду — в зависимости от личности исполнителя и моющих средств, которые он использует. Принимая только один способ, одну точку зрения, мы отворачиваемся от разнообразия, которое предлагает нам жизнь.

ГОРЛО — его состояние отражает нашу способность отстоять свои интересы, выразить свои желания, заявить о себе как о личности. Горло болит тогда, когда мы не чувствуем себя вправе и в состоянии постоять за себя. Мы раздражены — отсюда боль в горле; если мы к тому же чем-то взволнованы, выведены из состояния душевного равновесия, то к боли в горле присоединится еще и простуда. Ларингит — признак того, что отрицательные эмоции захлестывают, лишая нас дара речи.

Кроме того, горло — средоточие нашей творческой энергии. Когда эта энергия не находит выхода, горло заболевает. Нам известно немало людей, которые живут для других, всю жизнь делая то, что хочется их родителям, супругам, возлюбленным, боссам, но только не им самим. Такие люди, как правило, вследствие подавления собственных желаний и творческих порывов страдают тонзиллитом и болезнями щитовидной железы.

В области горла находится пятая чакра, центр энергии и перемен. Когда мы сопротивляемся перемене, или застигнуты ею врасплох, или, напротив, усиленно стараемся перемениться, активно задействуется область горла. Обратите внимание на внезапные приступы кашля у себя и у других. Что было сказано непосредственно перед этим? Как мы реагировали на сказанное? Что послужило причиной кашля: наше упрямство, нежелание перемен, или это свидетельство того, что перемены уже начались? На своих сеансах я использую кашель как инструмент самопознания. Когда кто-нибудь закашляется, я прошу его коснуться горла и произнести: «Я готов к переменам» или «Я меняюсь».

РУКИ (от плеча до кисти) характеризуют нашу способность усваивать жизненный опыт. Предплечья — показатель того, в каком объеме мы его усваиваем; руки от локтя до кисти характеризуют эту способность в целом. Суставы становятся как бы хранилищами старых переживаний, локти — индикаторами гибкости в выборе направления движения вперед. Подумайте, так ли легко, как прежде, вы способны менять направление своей жизни, или старые переживания заставляют вас топтаться на месте?

КИСТИ — их назначение — держать, сжимать, захватывать что-то. Ими мы стремимся коснуться всего, с чем сталкиваемся в жизни, иногда не спеша с этим расставаться. Они бывают ловкими и неумелыми, скупыми и щедрыми. Ими мы подаем милостыню, ухаживаем за собой, или, бывает, они не годятся вообще ни на что полезное.

Кисти могут быть слабыми и сильными, их может искривить артрит, причина которого кроется в чересчур критическом отношении к жизни; узловатые межфаланговые суставы — следствие чрезмерных раздумий. Крючковатые пальцы говорят о том, что их обладатель боится потерять или упустить что-то или недополучить чего-то от жизни.

Однако следует помнить, что чересчур сильное стремление удержать партнера может того только отпугнуть. Стиснув пальцы, вы больше не сможете брать, а значит, не усвоите ничего нового. Свободное потряхивание кистями помогает освободиться от скованности.

Расслабьтесь: никто не в силах отнять у вас ваше достояние.

ПАЛЬЦЫ — каждый из них имеет свое значение. Связанные с ними недомогания указывают на характер ваших проблем. Например, если вы порезали указательный палец, виной тому, скорее всего, страх и гнев из-за ущемленного в какой-то житейской ситуации самолюбия. Большой палец связан с мыслительными способностями; если с ним возникают проблемы, значит, вы обеспокоены. Указательный палец — индикатор страха и самолюбия. Средний — гнева и сексуальности. Рассердившись на кого-то, подержите себя за средний палец: гнев уляжется. Если объект вашей агрессивности женщина, прижмите средний палец левой руки, если мужчина — правой. Безымянный палец олицетворяет одновременно согласие и огорчение. Мизинец — семейные отношения и претензии.

СПИНА олицетворяет ваше ощущение поддержки. Проблемы со спиной означают, что вы не чувствуете опоры. Зачастую мы думаем, что нас поддерживают только работа, семья или супруг, в действительности же нам всем покровительствуют Космос и сама жизнь.

Недомогания в верхней части спины указывают на недостаток эмоциональной поддержки: мы убеждены, что супруг (любовник, друг, босс) нас не понимает и не поддерживает.

Средняя часть спины — индикатор чувства вины и прошлых страхов. Вы боитесь прошлого, стараетесь забыть о нем? Нет ли у вас ощущения, будто вас ударили в спину ножом?

Вы потерпели финансовый крах и чувствуете себя совершенно разбитым человеком? Или просто очень этого боитесь? В таком случае следует обратить внимание на поясницу. Отсутствие денег, страх их потерять вызывают недомогания

> ## Мир в душах и умах оборачивается миром в реальной жизни.

в этой части тела. Беспокойство по поводу количества денег, как правило, не оказывает такого воздействия.

Очень многие из нас считают деньги важнейшим фактором своего существования, без которого они не смогут жить. Это не так. Есть нечто гораздо более важное и драгоценное для нас, без чего наша жизнь просто невозможна, — дыхание.

Когда мы делаем выдох, мы почему-то уверены, что за ним обязательно последует вдох. Не имея возможности вдохнуть снова, мы не проживем и трех минут. Если Божественная Сила, создавшая нас, наделила нас способностью дышать столько времени, сколько нам отпущено, как мы можем не верить, что получим от нее и все остальное, нужное для жизни?

ЛЕГКИЕ олицетворяют собой наше отношение к жизни. Если у вас проблемы с легкими, значит, вы либо боитесь жизни вообще, либо опасаетесь жить полной, насыщенной жизнью.

Прежде женщины, как правило, дышали неглубоко — они считали себя гражданами второго сорта, недостойными места в обществе, а иногда и права на жизнь. К счастью, теперь положение меняется: женщины становятся полноправными членами общества и дышат глубоко, полной грудью.

Я рада, что они начали активно заниматься спортом. Такая возможность представилась им, насколько мне известно, впервые в истории человечества. Оторвавшись от грубой, неблагодарной работы на полях, женщины занялись физическим самосовершенствованием, и посмотрите, каких великолепных результатов они достигли!

Эмфизема легких и привычка много курить, как правило, — следствие отрицательного отношения к жизни, ощущения собственной ущербности. Вот почему не стоит пилить курильщика, это не поможет ему избавиться от этого порока.

МОЛОЧНЫЕ ЖЕЛЕЗЫ олицетворяют материнское начало. Заболевания молочных желез — следствие того, что это начало берет верх над разумом по отношению к какому-либо человеку, месту, ситуации, переживанию.

Материнская забота не должна быть чрезмерной, не лишайте «дитя» самостоятельности. Постарайтесь не перебарщивать в стремлении опекать и направлять. Чересчур ревностная забота мешает подопечному набраться жизненного опыта. Иногда наша чрезмерная опека в прямом смысле лишает его подпитки из Космоса.

Рак молочной железы возникает, кроме того, вследствие затаенной обиды. Забудьте о своих огорчениях и страхах, живите свободно, вам поможет разум Космоса, который присутствует в каждом из нас.

СЕРДЦЕ, разумеется, олицетворяет любовь, а кровь, которую оно гонит по нашим жилам, — радость. Если мы лишаем себя любви и радости, сердце сжимается и холодеет. В результате кровь течет медленнее, что ведет к анемии и инфарктам.

Сердце в этом не виновато. Порой мы сами превращаем свое существование в мыльную оперу, которая заслоняет от нас реальные житейские радости. Мы годами лишаем свое сердце такой подпитки, и в результате оно буквально разрывается от боли. Инфаркт, как правило, случается у людей, которые не умеют радоваться жизни. Если они так и не научатся этому, то их ждет новый инфаркт.

Мы говорим: «золотое сердце», «ледяное сердце», «черное сердце», «сердце, открытое навстречу людям», «сердце, полное любви». А вы задумывались, какое сердце у вас?

ЖЕЛУДОК — показатель вашей способности усваивать новые идеи, набираться опыта. Чего или кого вы «не перевариваете»? Что задевает вас за живое? Проблемы с желудком обычно сигнализируют о неспособности приспособиться к новой ситуации, наш страх перед ней.

На заре пассажирских авиаперевозок идею полета внутри гигантской металлической птицы многие восприняли с большим трудом. И что же? Непременным атрибутом таких полетов стали гигиенические пакеты, которыми пользовалось большинство пассажиров, доставляя немало хлопот стюардессам. Теперь, много лет спустя, эти пакеты по-прежнему у нас под рукой в полете, но ими редко кто пользуется. Мы привыкли к полетам, идея прочно утвердилась в умах.

ЯЗВЫ возникают исключительно из-за боязни собственной несостоятельности. Сначала мы боимся не угодить родителям, потом — начальству. Мы словно не в состоянии «переварить» то, какие мы есть на самом деле, и изо всех сил, не щадя себя, стремимся угодить другим. Вне зависимости от значимости своего дела мы в глубине души считаем себя ничтожествами и стараемся скрыть это от окружающих.

ПОЛОВЫЕ ОРГАНЫ — средоточие женского начала у женщин и мужского — у мужчин.

Если имеют место проблемы с половой принадлежностью, стремление подавить свою сексуальность, взгляд на собственное тело как на сосуд греха и вожделения, значит, есть отклонения в работе половых органов.

Человек, привыкший с детства называть половые органы и их функции своими именами, — редкость. Помните, как их называли в вашей семье? Может быть, у вас презрительно говорили о гениталиях «это место», отчего вы начали стыдиться своих половых органов?

Пожалуй, сексуальная революция, разразившаяся некоторое время назад, имела и положительную сторону, поскольку благодаря ей мы покончили с викторианским лицемерием. Внезапно оказалось, что иметь связь со многими партнерами вовсе не так уж плохо и что женщина, подобно мужчине, тоже может позволить себе брать партнеров на одну ночь. Обмен супругами стали практиковать более открыто. Многие из нас научились пользоваться сексуальной свободой, открыли для себя новые способы получения наслаждения.

Однако некоторые не смогли отрешиться от того, что Роза Ламонт, основательница Института самопознания, называет «мамин Бог». Вспомните: все, что в трехлетнем возрасте рассказала вам о Господе мать, по-прежнему сидит в вашем подсознании, если только вы намеренно не постарались от этого освободиться. Какие представления о Боге она вам внушила?

Он зол, мстителен? Как он относится к сексу? Если в нас с детства заложено чувство вины перед Господом за свою порочную натуру, то в дальнейшем нам неизбежно придется за это расплачиваться.

Причиной заболеваний МОЧЕВОГО ПУЗЫРЯ, ЗАДНЕГО ПРОХОДА, а также ВАГИНИТА, ПРОСТАТИТА и проблем с ПЕНИСОМ тоже являются заблуждения относительно собственного организма и его естественных отправлений.

Наши органы суть не что иное, как сама жизнь со всеми своими специфическими функциями. Мы же не считаем греховными печень и глаза, почему же тогда мы стыдимся своих гениталий?

Анальное отверстие выглядит ничуть не менее естественно и прекрасно, чем ухо. Не будь у нас заднего прохода, мы бы вскоре умерли, потому что организм не смог бы освободиться от шлаков. Любая часть организма, любая его функция совершенны, естественны и прекрасны.

Я прошу пациентов с сексуальными проблемами относиться к своим анусам, пенисам и влагалищам с любовью и благодарностью за то, что они делают для организма, ценить их естественную красоту. Если эти строки заставили вас поежиться от отвращения или рассердили вас, спросите себя, в чем причина. Кто внушил вам отрицательное отношение к этим частям тела? Явно не Господь. Он дал нам половые органы, чтобы мы получали сексуальное удовлетворение. Отрицать это — значит обрекать себя на боль и страдания. Секс не только не постыден, он прекрасен и естественен. Заниматься сексом так же необходимо, как дышать и есть.

Попробуйте представить себе беспредельность Космоса — у вас ничего не получится. Даже лучшим в мире ученым, в распоряжении которых современнейшее оборудование, не под силу измерить его просторы. Космос — это бесконечное множество галактик, в одной из которых, не самой большой, в дальнем уголке вращаются относительно скромное по размерам Солнце и несколько крошечных планет. Одна из них и есть наша Земля.

Не могу поверить, что создавший все это Разум, бесконечный, не поддающийся пониманию, воплощен в фигуре старичка, который со своего облака наблюдает за нами и нашими гениталиями!

А ведь в детстве многим из нас внушили именно такое представление о Боге.

Избавиться от нелепых, отживших, бесполезных идей для нас жизненно важно. По-моему, наши религиозные взгляды должны идти нам во благо, а не против нас. В мире столько всевозможных религий — есть из чего выбрать подходящую. Если ваши религиозные убеждения наталкивают вас на мысль, что вы недостойный грешник, поменяйте их.

Я не агитирую за свободный секс, просто некоторые из наших правил потеряли смысл, отчего многие вынуждены нарушать их и лицемерить.

Когда люди научатся не стыдиться своей сексуальности, любить и уважать самих себя, тогда они будут приносить себе и друг другу только добро и радость. Причина многочисленных сексуальных расстройств кроется в нашем отвращении к самим себе. Отсюда и плохое отношение к окружающим.

> *Ключ к успеху внутри нас,
> это — мир с самой собой.*

Для решения этой проблемы недостаточно уроков полового воспитания в школе. Необходимо на более глубоком уровне разъяснять детям, что их тело, половые органы и сексуальное чувство созданы для радости жизни. Я всем сердцем убеждена, что люди, которые с любовью относятся к себе и своему телу, никогда не причинят вреда ни себе, ни другим.

Я открыла, что причина заболеваний МОЧЕВОГО ПУЗЫРЯ кроется, как правило, в раздражении, обиде. Очень часто это обида на партнера, оскорбившего наше женское или мужское начало. Женщины чаще страдают такими расстройствами, потому что больше, чем мужчины, склонны скрывать обиду. ВАГИНИТ тоже предполагает обиду на сексуального партнера.

ПРОСТАТИТ же часто связан с заниженной самооценкой и опасением оказаться с возрастом сексуально несостоятельным. Те же причины плюс страх и озлобление против предыдущего партнера вызывают ИМПОТЕНЦИЮ. ФРИГИДНОСТЬ возникает, когда женщина боится секса или считает телесные радости грехом. Еще одной причиной этого заболевания может быть крайне заниженная самооценка и нечуткость партнера.

ПРЕДМЕНСТРУАЛЬНЫЙ СИНДРОМ (ПМС), принявший в наше время характер эпидемии, связан с засильем рекламы, которая вбивает в головы женщин, что тело всегда и при любых обстоятельствах должно быть вымыто до стерильной чистоты, проспринцовано, присыпано, надушено и т. д. В то же время многих женщин угнетает мысль, что для них, во всем остальном равных с мужчинами, ежемесячное женское недомогание есть нечто совершенно неприемлемое. Эти факторы, вместе со столь распространенным в наше время пристрастием к сладкому, стали благодатной почвой для ПМС.

Помните, что все особенности женского организма, включая менструации и менопаузу, совершенно естественны, принимайте их как должное. Несмотря ни на что, наше тело — прекрасное, дивное творение природы.

По моему убеждению, венерическую болезнь вызывает чувство сексуальной вины — ощущение, часто неосознанное, что мы не вправе раскрывать свою с сексуальность. Носитель венерического заболевания может иметь много половых партнеров, но заразятся от него только обладатели слабой иммунной системы, которая не в состоянии защитить их ни психологически, ни физически. В дополнение к венерическим болезням, знакомым человечеству с давних пор, в последние годы в гетеросексуальной среде получил распространение ГЕРПЕС, который возвращается к заразившему снова и снова, чтобы «наказать» за «плохое поведение». Особенно мы уязвимы для герпеса в период душевных невзгод. Если у вас появились его симптомы, сделайте правильные выводы!

Моя цель — не судить, а помочь излечиться, освободиться от стереотипов прошлого. Мы, люди, суть божественно прекрасное воплощение Жизни. Давайте же во весь голос заявим об этом!

А теперь посмотрим, применима ли эта теория к гомосексуальному сообществу, ведь помимо общих для всех проблем геи и лесбиянки сталкиваются с недоброжелательным отношением окружающих. Частенько к хору осуждающих голосов присоединяются и их собственные родители. Жить, а тем более любить себя в таких условиях трудно, поэтому неудивительно, что гомосексуалисты одними из первых стали жертвами такой страшной болезни, как СПИД.

Что касается гетеросексуального сообщества, то в нем многие женщины страшатся старости из-за ореола всеобщего поклонения, которым окружена молодость. У мужчин переход в старшую возрастную категорию происходит не так болезненно, потому что седина их только украшает. Нередко седовласый мужчина вызывает у окружающих уважение, желание попросить совета, помощи.

Совсем иначе у мужчин-гомосексуалистов, потому что в их субкультуре царит культ молодости и красоты. Как правило, начинающие гомосексуалисты обладают первым качеством, тогда как второе есть далеко не у всех. И если физической привлекательности придается огромное значение, то чувства, внутренний мир человека остаются практически без внимания. Иначе говоря, немолодые и некрасивые здесь совсем не котируются, потому что значение имеет только тело, а отнюдь не душа.

Такой стереотип мышления не делает чести этой субкультуре, потому что в его основе тоже лежит дискриминация. Из-за него многие гомосексуалисты-мужчины начинают бояться старости, считая, что лучше умереть, чем постареть. А СПИД как раз убивает.

Слишком часто гомосексуалисты-мужчины ощущают, что, старея, они перестают быть нужными своим партнерам, поэтому предпочитают смерть, саморазрушение, ведя соответствующий образ жизни. Некоторые его особенности, например оценка человека по его «стати», постоянное «перемывание костей» друг другу, отказ от душевной близости с партнером и так далее чудовищны. Но ведь и СПИД — чудовищное заболевание.

Подобное отношение к себе и друг к другу как раз и порождает чувство вины на уровне подсознания, независимо от гомосексуального стажа и опыта. Гомосексуальные развлечения могут стать роковыми для обоих партнеров, потому что не предполагают душевной близости и глубины.

Разумеется, я ни в коем случае не стремлюсь внушить гомосексуалистам чувство вины, хочу только ради общего блага обратить их внимание на некоторые устоявшиеся стереотипы, которые мешают жить в любви, уважении и радости. Еще пятьдесят лет назад практически все люди нетрадиционной сексуальной ориентации вынуждены были скрывать свои наклонности, тогда как сейчас они образуют свои сообщества, в которых могут существовать относительно открыто. Мне кажется несправедливым, что в нынешних, более благоприятных для них условиях они наносят друг другу душевные травмы. Если их третируют «натуралы» — это печально, но если гомосексуалисты третируют друг друга — это трагично.

Мужчины по своей природе склонны иметь больше сексуальных партнеров, чем женщины, поэтому в мужской гомосексуальной среде сексом занимаются гораздо больше,

чем в женской. Это прекрасно, если секс приносит удовлетворение и радость, а не служит каким-то побочным целям. Например, бывает, что мужчины постоянно меняют партнеров, удовлетворяя скрытую в глубинах подсознания тягу к самоутверждению. Мне кажется, что связь с несколькими партнерами, алкоголь и даже таблетки «для тонуса» не принесут вреда, если прибегать к ним время от времени. Однако постоянное использование столь сильных средств для поддержания собственного престижа свидетельствует о потере связи с нашей «питательной средой» — Космосом. В этом случае не обойтись без корректировки образа мыслей.

Моя цель — не судить, а помочь излечиться, освободиться от стереотипов прошлого. Мы, люди, суть божественно прекрасное воплощение Жизни. Давайте же во весь голос заявим об этом!

ТОЛСТАЯ КИШКА олицетворяет нашу способность освобождаться от того, в чем мы уже не нуждаемся. Наше тело, подчиняясь совершенному ритму течения жизни, нуждается в сбалансированной системе приема, усвоения питательных веществ и очищения от шлаков. Этот баланс могут нарушить только наши страхи. Запорами, как правило, страдают люди, которые боятся чего-то лишиться или недополучить. Они цепляются за старые, приносящие одни страдания связи, боятся выбросить отслужившую одежду, которая давным-давно без пользы висит в шкафу, потому что, по их разумению, она может еще на что-нибудь сгодиться. Они не уходят с нудной работы, боятся лишний раз доставить себе удовольствие, копя деньги на черный день. Однако не забывайте, что во вчерашних объедках трудно найти что-нибудь на завтрак. Выработайте в себе веру в жизнь, которая о вас всегда позаботится.

Назначение наших НОГ — нести нас по жизненному пути. Болезни ног, как правило, указывают на боязнь двигаться вперед или в каком-то определенном направлении. Наши ноги бегают, шаркают, косолапят, прихрамывают, подкрадываются; огромные тучные бедра — следствие детских обид и подавленного гнева. Нежелание что-либо делать часто становится причиной не очень серьезных заболеваний ног. ВАРИКОЗНОЕ РАСШИРЕНИЕ ВЕН указывает на нелюбимую работу или пребывание в неприятном для вас месте. Из-за вашего неприятия вены теряют способность разносить по телу радость.

Подумайте, действительно ли вы выбрали правильный путь?

КОЛЕНИ, как и шея, — индикатор гибкости; они олицетворяют собой способность подчиняться и чувство собственного достоинства, самолюбие и упрямство. Часто, начав движение, мы стараемся держаться прямо, что ведет к неподвижности суставов. Мы жаждем двигаться вперед, но при этом не любим менять дорогу. Вот почему лечение коленей требует столько времени, ведь их болезни вызваны задетым самолюбием, оскорбленным достоинством.

Если у вас заболят колени, спросите себя, в чем вы проявили гордыню. Прекратите упрямиться и идите дальше. Жизнь — в движении; ее поток подхватит и понесет вас. Чтобы жить спокойно и счастливо, надо проявлять гибкость и не выбиваться из общего потока. Посмотрите на иву: как она гнется и раскачивается на ветру! При этом она изящна, стройна и находится в полной гармонии с окружающим миром.

> *Не важно, с чем нам приходится сталкиваться в жизни, важно, как мы на это реагируем.*

Главное — понимать себя и свою жизнь, то есть свое прошлое, настоящее и будущее.

Многие пожилые люди испытывают затруднения с ходьбой, потому что утратили эту способность. Часто их угнетает мысль, что им просто некуда идти. Малыши же бегают вприпрыжку — ноги сами несут их вперед, тогда как старики ходят еле-еле, словно нехотя.

КОЖА есть отражение нашей индивидуальности. Проблемы с кожными покровами возникают тогда, когда нам как личности что-то угрожает. Например, когда мы боимся подпасть под чью-то власть.

Один из простейших способов избавиться от кожных заболеваний — повторять про себя несколько сотен раз в день: «Я молодец, я всегда поступаю правильно!» Настройтесь на правильный лад, и вы вернете себе былую силу и энергию.

НЕСЧАСТНЫЕ СЛУЧАИ в действительности отнюдь не случайны. Как правило, мы сами их на себя накликаем. Для этого совсем не обязательно специально задаваться такой целью, достаточно заиметь соответствующий стереотип мышления, и неприятность не заставит себя ждать. Некоторые люди словно притягивают ее к себе, их так и называют — «тридцать три несчастья»; другие же живут совершенно спокойно, умудряясь ни разу в жизни не попасть в подобную ситуацию. Почему?

Несчастные случаи — это выражение нашего гнева или крайней степени разочарования, которое человек не может выплеснуть. Кроме того, они указывают на неподчинение чьему-либо авторитету. В ярости мы готовы ударить, но вместо этого подставляемся под удар сами.

Когда мы злимся на себя, у нас возникает чувство вины, требующее воздаяния, которое и не замедлит явиться в виде несчастного случая.

Внешне нашей вины в нем нет, на первый взгляд мы лишь жертвы рокового стечения обстоятельств. К нам обращено всеобщее участие, о нас заботятся, нам помогают, иногда для поправки здоровья укладывают на долгое время в постель. И мы страдаем от боли.

Место, где коренится боль, — ключ к пониманию того, в чем именно мы чувствуем себя виноватыми, а степень наших физических страданий подсказывает, сколь суровое наказание мы себе уготовили.

АНОРЕКСИЯ и БУЛИМИЯ — следствие полного самоотрицания, крайней степени неприятия собственной личности.

Пища дает нам жизнь. Отказ от пищи равносилен отказу от жизни. Почему вы идете на этот шаг? Что в вашей жизни настолько ужасно, что вы решились уйти из нее?

Ненавидя себя, вы ненавидите не что иное, как свои представления о себе. Но ведь им свойственно меняться.

Действительно ли вы столь ужасны, или в вас просто воспитали чересчур критический взгляд на мир? Вы критиковали в детстве учителей? Когда вам рассказывали о Боге и религии, у вас появлялась мысль, что вы плохой ребенок? Мы так часто склонны искать «настоящую» причину, по которой нас не любят и не принимают такими, какие мы есть!

Современная индустрия моды внушает нам, что только худое, субтильное тело красиво, поэтому многие женщины, одержимые мыслями о своих недостатках, сосредоточивают ненависть к себе на собственном теле. В глубине их подсознания они уверены: если похудею, ко мне будут относиться с любовью. Но их попытки обречены на провал, как обречено на провал все, навязанное извне. Ключ к успеху внутри нас, это — мир с самой собой.

АРТРИТ — результат постоянного критического отношения к себе и окружающим. Из-за этой склонности страдающие артритом люди часто сами становятся объектами критики со стороны других. Их проклятие — перфекционизм, то есть стремление всегда и везде добиваться совершенства.

Знаете ли вы человека, которому это удается? Я не знаю. Зачем предъявлять к себе и другим сверхвысокие требования? Перфекционизм делает человека практически невыносимым для общества. Это крайнее выражение недовольства собой — страшное бремя для самого перфекциониста.

АСТМУ мы называем «удавкой любви». Она возникает, когда человек в глубине подсознания отказывается дышать «для себя». Детишки-астматики часто очень совестливы, у них гипертрофировано чувство ответственности. Они считают себя в ответе за все вокруг, что идет «не так». Отсюда — заниженная самооценка, ощущение вины и потребность наказать себя за нее.

Иногда астма вылечивается простой сменой местожительства, особенно в тех случаях, когда ребенок уезжает один, без семьи.

Как правило, дети выздоравливают, взрослея, — с отъездом на учебу или в дом супруга, в общем, так или иначе покидая отчий дом. Бывает, что в дальнейшем заболевание возвращается, но отнюдь не по вине каких-то новых обстоятельств. Причина та же, что и в детстве.

НАРЫВЫ, ОЖОГИ, ПОРЕЗЫ, ЖАР, КОЖНЫЕ ВЫСЫПАНИЯ и ВСЕВОЗМОЖНЫЕ ВОСПАЛИТЕЛЬНЫЕ ЗАБОЛЕВАНИЯ указывают на сжигающий нас гнев. Как бы мы ни пытались его подавить, он находит выражение в том или ином заболевании. Рано или поздно пар из разогретого котла требует выхода. Гнев разрушителен, он может запросто смести наш хрупкий мирок! И тем не менее от него можно освободиться, произнеся вслух простую фразу: «Это меня очень разозлило!» Правда, своему начальнику такое не скажешь, но зато можно пнуть ногой кровать, или, сидя в машине, завопить во весь голос, или сыграть партию в теннис — вот действенные, но безобидные способы выпустить пар.

Многие утонченные натуры считают недостойным давать волю своему гневу. В будущем, наверное, люди перестанут злиться друг на друга, но до того благословенного времени будет, пожалуй, разумнее и полезнее для здоровья не закрывать глаза на свои истинные чувства.

РАК вызывает глубокая, долго копившаяся обида, которая буквально разъедает ткани. Возможно, это детская обида на окружающих, не оправдавших доверия. Запомнив ее на всю жизнь, человек начинает жалеть себя, теряет способность заводить серьезные отношения с другими людьми, жизнь кажется ему бесконечной чередой разочарований. В его сознании берет верх чувство безысходности, беспомощности, невосполнимой потери, и он начинает винить в своих проблемах окружающих. Кроме того, больные раком, как правило, отличаются повышенной самокритичностью. Я убеждена, что ключ к успеху в лечении онкозаболеваний — умение любить и принимать себя такими, какие мы есть.

ЛИШНИЙ ВЕС говорит о нашей незащищенности. Мы пытаемся защититься от обид, мелочных уколов, критических замечаний, оскорблений, сексуальных притязаний, от страха перед жизнью и всевозможных других фобий. Обширный выбор, не правда ли?

Наблюдая за своим организмом в течение многих лет, я заметила, что в те периоды, когда у меня появляется ощущение незащищенности, я набираю несколько фунтов, хотя полнотой не страдаю. Когда это ощущение проходит, исчезает и лишний вес.

Бороться с лишним весом, сидеть на диетах — впустую тратить время и силы. Едва вы прекратите борьбу, как потерянные килограммы тут же вернутся. Любите себя, верьте в жизнь и в свою способность обеспечить себе защищенное, благополучное существование, — это лучше самой хорошей диеты. Если вы сядете на диету под влиянием негативного отношения к себе, от жирка вас это не избавит.

К сожалению, слишком многие родители закармливают детей, не давая себе труда задуматься над причинами их повышенного аппетита. В дальнейшем, повзрослев, эти несчастные дети будут обречены до конца дней «заедать» свои проблемы.

БОЛЬ любого рода свидетельствует о чувстве вины, это всегда наказание за нее. Хронические боли вызывает непреходящее чувство вины, которое часто спрятано в таких глубинах подсознания, что мы о нем и не подозреваем.

Осознание своей вины ничего нам не дает. Оно не улучшает нашего самочувствия, не помогает изменить ситуацию в лучшую сторону.

Не надо «приговаривать» себя к наказанию; простив себя, вы освободитесь от боли.

ИНСУЛЬТЫ происходят вследствие закупорки сосудов мозга тромбами, которые препятствуют его кровоснабжению.

Мозг подобен компьютеру, управляющему нашим организмом. Кровь — это радость жизни, а вены и артерии — каналы передачи, предназначенные для того, чтобы донести ее до каждой клетки. В нашем организме все подчиняется закону любви, ибо Космический Разум и есть сама любовь. Ничто и никто на свете не может нормально существовать без любви и радости. Из-за негативного мышления поток этих светлых чувств не может свободно поступать в мозг.

Внутренняя несвобода, боязнь выглядеть смешным не располагают к веселью. То же самое относится к любви и радости жизни. Если избавиться от привычки во всем видеть дурную сторону, мир не будет казаться таким мрачным. Можно даже самую маленькую неприятность раздуть до размеров вселенской катастрофы, но можно и в ужасной трагедии найти повод для оптимизма. Все зависит от нашей позиции.

Часто нам кажется, что наша жизнь могла бы быть намного лучше, поэтому мы изо всех сил стремимся повернуть ее в другое русло. Иногда следствием этого стремления становится инсульт, который и вправду совершенно меняет нашу жизнь, заставляя понять ее истинные ценности.

ТУГОПОДВИЖНОСТЬ тела говорит о негибкости ума. Страх перед жизнью заставляет нас цепляться за старое, и мы постепенно утрачиваем гибкость. К этому приводит также нежелание воспринимать иной взгляд на вещи. Жизнь так разнообразна!

Обратите внимание, какая часть вашего тела страдает тугоподвижностью, найдите ее в перечне стереотипов мышления в конце книги и прочтите, в чем именно вы не проявляете должной гибкости.

ОПЕРАТИВНОЕ ВМЕШАТЕЛЬСТВО бывает необходимо, например, при переломах, несчастных случаях и в других ситуациях, когда пациент еще не освоил как следует мою систему и не в силах помочь себе сам. Тогда разумнее согласиться на операцию и употребить все известные целительские приемы, чтобы в дальнейшем вновь не попасть на операционный стол.

Число медиков, искренне преданных своей благородной профессии, убежденных, что лечить надо не болезнь, а пациента, постоянно увеличивается, но все же еще многие врачи, не давая себе труда задуматься над причиной заболевания, борются не с корнем зла, а с его проявлениями.

Делают они это двумя способами: травят лекарствами и кромсают ножами. Второй метод применяется в хирургии, поэтому если вы обратитесь за помощью к хирургам, то они, как правило, порекомендуют именно оперироваться. Согласившись на операцию, сделайте все, чтобы она прошла как можно лучше, и выздоровление не заставит себя долго ждать.

Попросите хирургов и другой медперсонал помочь вам. Они зачастую совершенно упускают из виду, что лежащий под наркозом пациент на подсознательном уровне воспринимает все происходящее в операционной.

Одна женщина, последовательница Нью Эйдж, рассказывала, как перед срочной операцией попросила хирурга и анестезиолога включить в операционной негромкую музыку. Кроме того, она попросила их во время операции произносить целительные настрои. С той же просьбой она обратилась и к медсестре послеоперационной палаты. И что же? Операция и послеоперационный период прошли на удивление легко, без осложнений!

Я советую своим клиентам, попадая в больницы, использовать следующие настрои: «Каждая рука, касающаяся меня в больнице, несет мне только исцеление и любовь»; «Операция проходит быстро, легко, без всяких осложнений»; «Мне хорошо и спокойно всегда, при всех обстоятельствах».

После операции полезно послушать негромкую приятную музыку и несколько раз повторить про себя: «Я стремительно поправляюсь, с каждым днем мне все лучше и лучше».

Если есть возможность, запишите аффирмацию на пленку, возьмите с собой в больницу и в восстановительный период раз за разом проигрывайте ее. Старайтесь не зацикливаться на боли. Все время представляйте себе, как любовь, нескончаемым потоком изливаясь из вашего сердца, течет вниз, к кончикам пальцев рук. Положите ладони на больное место и скажите ему: «Я люблю тебя, я стараюсь помочь тебе выздороветь».

ОПУХАНИЕ тела говорит о засорении и застое в эмоциональной сфере. Мы не даем себе забыть воображаемые обиды, мучаем себя неприятными воспоминаниями. Мы опухаем от невыплаканных слез, невысказанных обид, от ощущения безысходности.

Отбросьте прошлое, верните себе былую силу и энергию. Гоните прочь дурные мысли, пусть вас посещают только приятные. Позвольте потоку жизни подхватить вас и нести вперед.

НОВООБРАЗОВАНИЯ, опухоли по сути своей — искусственные наращения. Как устрица, спасая себя от вторжения инородного тела, обволакивает песчинку твердой блестящей оболочкой, отчего та превращается в восхитительную жемчужину, так и мы до тех пор носимся с какой-нибудь своей застарелой обидой, постоянно бередим ее, пока она не доведет нас до опухоли.

Я называю это «старое кино, которое смотришь вновь и вновь». По моему убеждению, женщины потому столь часто страдают от опухолей матки, что слишком тяжело и долго переживают обиды, нанесенные их женскому началу. Я называю это синдромом брошенной любовницы. Разрыв отношений не должен умалять нас в собственных глазах. Не важно, с чем нам приходится сталкиваться в жизни, важно, как мы на это реагируем. Мы несем полную ответственность за то, как живем. Что в своем отношении к самим себе нам следует изменить, чтобы окружающие начали относиться к нам с большими, чем прежде, вниманием и любовью?

Новые целительные стереотипы мышления

ЛИЦО (при угревой сыпи). Я люблю и принимаю свою физическую сущность такой, какая она есть. Я прекрасно выгляжу.

РАЗУМ. В жизни все меняется, в том числе и мои взгляды на мое будущее.

ПАЗУХИ НОСА. Я один на один с жизнью. Никто не вправе беспокоить меня без моего разрешения. Вокруг меня мир и гармония. Я не верю в расхожие истины.

ГЛАЗА. Ощущение свободы переполняет меня. Я смело гляжу в будущее, потому что жизнь вечна и полна радости. Я смотрю на мир с любовью. Никто и никогда не в силах сделать мне больно или обидеть меня.

ГОРЛО. Я умею разговаривать с собой. Я смело высказываю свои мысли. Душа полна творческих сил. Я говорю с окружающими с любовью.

ЛЕГКИЕ (*при бронхите*). Вокруг меня все мирно и спокойно, нет никаких раздражителей. *При астме.* Мне дана свобода распоряжаться своей жизнью, как я того захочу.

СЕРДЦЕ. Радость, любовь, спокойствие. Я с радостью принимаю жизнь такой, какая она есть.

ПЕЧЕНЬ. Я спокойно отказываюсь от всего, что мне больше не нужно. Теперь мое сознание полно новых, свежих, жизнеутверждающих идей.

ТОЛСТЫЙ КИШЕЧНИК. Все вокруг меня дышит свободой; я расстаюсь с прошлым; поток жизни легко течет через меня. *При геморрое.* Я сбрасываю с себя груз воспоминаний, освобождаюсь от давления обстоятельств. Я живу только радостным настоящим.

ПОЛОВЫЕ ОРГАНЫ (*при импотенции*). Сила переполняет меня. Я даю волю своей сексуальности, которая наполняет меня легкостью и радостью. Я счастлив принять этот дар. Меня не гнетет ни ощущение вины, ни предчувствие неизбежного наказания.

КОЛЕННЫЙ СУСТАВ. Прощение, терпимость, сопереживание. Я без колебаний иду вперед.

КОЖА. Я привлекаю к себе благожелательное внимание. Я в безопасности. Мне никто не угрожает. У меня спокойно на душе. Ничто в окружающем мире мне не угрожает. Все настроены по отношению ко мне очень дружественно. Я больше не чувствую ни гнева, ни обиды. Я непременно получу все, в чем бы ни нуждался, и приму это без всякого ощущения вины. Моя жизнь, наполненная маленькими радостями, течет мирно и спокойно.

СПИНА. Меня поддерживает сама жизнь. Я доверяю породившему меня Космосу. Я одариваю своей любовью и доверием всех окружающих меня людей. *При болях в пояснице.* Я с доверием отношусь к Космосу. Меня отличают смелость и независимость.

ГОЛОВА. В моем мире царят спокойствие, любовь и радость. Я не противлюсь потоку жизни, который свободно проникает в каждую клетку моего расслабленного тела.

УШИ. Я внемлю Богу. Я прислушиваюсь к радостным восклицаниям жизни. Я ее частица. Мое сердце полно любви.

РОТ. У меня решительный характер. Я с готовностью иду навстречу жизни. Я приветствую новые идеи, которые она выдвигает.

ШЕЯ. Одно из моих достоинств — гибкость. Я охотно принимаю чужие точки зрения.

ПЛЕЧИ *(при бурсите)*. Я стараюсь «выпустить пар», не причинив никому вреда. Любовь помогает мне усмирить свой гнев и обрести спокойствие. Жизнь несет радость и свободу. Все, что я приемлю из ее даров, мне во благо.

КИСТИ РУК. Ко всем идеям я отношусь с любовью, легко и свободно.

ПАЛЬЦЫ. Напряжение отпускает меня, потому что я знаю: жизнь мудра, она позаботится обо всем, что мне нужно.

ЖЕЛУДОК. Я легко усваиваю новые идеи. В моей жизни царит согласие, ничто меня не раздражает. Моя душа спокойна.

ПОЧКИ. Во всех и во всем я вижу только добро. Я всегда действую правильно. Я полностью реализую свои возможности.

МОЧЕВОЙ ПУЗЫРЬ. Я расстаюсь с прошлым и приветствую настоящее.

ТАЗ *(при вагинитах)*. Формы и средства выражения любви могут меняться, но сама она вечна. *При нарушениях менструального цикла*. Я храню спокойствие, как бы ни менялся мой цикл. Я с любовью благословляю свое тело. Все его части прекрасны.

БЕДРО. Я с радостью иду вперед, потому что меня поддерживает сила Жизни. Я иду навстречу добру. Я чувствую себя в полной безопасности. *При артрите*. Мое сердце переполняют любовь и прощение. В моей жизни царит свобода. Я хочу, чтобы каждый оставался самим собой.

ЖЕЛЕЗЫ ВНУТРЕННЕЙ СЕКРЕЦИИ. Мои душевные силы находятся в полном равновесии, мой организм функционирует нормально. Я люблю жизнь и иду по ней свободно.

СТУПНИ. Я стою с сознанием правды. Я иду вперед с радостью. Я обладаю способностью духовного проникновения в суть вещей.

Эти новые стереотипы мышления (позитивные аффирмации) помогут вам избавиться от болезней и снять напряжение.

В бесконечном потоке жизни,

частицей которого я являюсь,

все прекрасно, цельно, совершенно.

Мое тело — мой лучший друг.

Каждую его клетку наполняет
Божественный Разум.

Я чутко прислушиваюсь к нему,
потому что знаю: все, о чем через
мое тело говорит мне Божественный
Разум, имеет огромную важность.

Я чувствую себя в полной безопасности,
ибо он защищает и направляет меня.

Я выбираю здоровье и свободу.
В моем мире все прекрасно.

ГЛАВА VI
О СЕБЕ

Все мы — одно целое.

«Расскажите мне немного о своем детстве», — прошу
я обычно пациентов. При этом меня вовсе не интересу-
ют детали: я хочу лишь представить себе общую картину.

Дело в том, что корни всех проблем именно там, в далеком детстве, когда формировались многие наши сегодняшние убеждения.

Мне было всего полтора года, когда мои родители развелись. Плохо помню то время. Но вот когда моя мама устроилась работать прислугой с проживанием в доме хозяев, мне пришлось жить отдельно — она отдала меня в чужие руки. Я прекрасно помню и по сей день тот ужас и страх, которые меня охватили. Говорят, я плакала три недели, не переставая. Семья, в которой поселила меня мама, ничего не могла поделать, так что ей пришлось меня забрать и искать другую работу. Сейчас я думаю о ней с восхищением: одинокая женщина, как трудно ей приходилось… Но тогда меня, маленькую девочку, заботило лишь то, что я не получаю достаточно любви и внимания, в которых так нуждаюсь.

Я так никогда и не поняла до конца, любила ли моя мама отчима или просто вышла за него замуж, чтобы у нас был хороший дом. Но в любом случае это было неудачное решение. Мой отчим вырос в Европе, в немецкой семье со строгими и даже жесткими порядками. Он и не представлял себе, что может быть по-другому. Вскоре у меня родилась сестра. А потом наступил 1930 год, разразилась экономическая депрессия. Это были тяжелые времена. Мне было пять лет.

Ко всему еще меня изнасиловал сосед — старый алкоголик. До сих пор помню обследование у врача и слушание дела в суде, где я выступала главным свидетелем. Ужасные воспоминания! Насильника приговорили к 15 годам заключения. Но так как мне не уставали повторять: «Это твоя вина, ты виновата», я долгие годы со страхом ожидала, что он вот-вот вернется и отомстит, потому что попал в тюрьму из-за меня.

Как вы поняли, мое детство не было счастливым и радостным — оскорбления и унижения, тяжкий труд. О себе я была очень низкого мнения: Все было плохо. Так формировались мои представления о себе и об окружающем мире.

Расскажу об одном событии. Оно произошло, когда я училась в четвертом классе. И хотя это всего лишь маленький эпизод, он очень характерен для моей прежней жизни. В школе был праздник, испекли несколько больших пирогов. А надо сказать, что, кроме меня, все остальные дети были из вполне благополучных семей среднего класса. Я же — всегда плохо одета, волосы забавно подстрижены «под горшок», я носила высокие черные ботинки, да к тому же еще пахла чесноком, который меня заставляли есть, «чтобы не было глистов». Пирогов у нас в доме отроду не бывало — они были нам не по карману. Помню одну пожилую женщину, жившую по соседству: она давала мне 10 центов каждую неделю, а на мой день рождения и на Рождество дарила доллар (10 центов шли в семейный бюджет, а на доллар мне покупали белье на целый год в самой дешевой лавке).

Так вот, вернемся к празднику в школе. Представьте, пирогов было так много, что некоторые ребятишки, которых и дома часто ими баловали, съели по два-три куска. Когда же очередь дошла до меня (надеюсь, вы догадались, что я была последней), пирогов вообще не осталось — ни единого кусочка.

Теперь я отчетливо сознаю: причиной было мое уже сложившееся убеждение, что я не достойна, НЕ ЗАСЛУЖИВАЮ.

> **Болезнь можно излечить, если мы очень хотим изменить свои мысли, убеждения и поступки.**

Именно поэтому я оказалась последней и осталась без пирога. Это было МОЕ убеждение, а ОНИ своими поступками лишь отразили его.

Когда мне исполнилось 15 лет, я, не в силах больше терпеть сексуальные оскорбления и унижения, бросила дом, школу и, уехав из города, устроилась работать в кафе официанткой. Работа была нелегкой, но куда лучше того, чем мне приходилось заниматься дома.

Мне очень не хватало нежности и любви. Чувство же собственного достоинства у меня в ту пору вообще отсутствовало, так что я с готовностью отдавала себя каждому, стоило ему проявить ко мне хоть чуточку добра. Вскоре после шестнадцатилетия я родила дочь. Понимая, что не смогу ее воспитать, я подыскала хорошую бездетную пару, мечтавшую о ребенке. У них в доме я прожила последние четыре месяца беременности и дала дочке их фамилию.

Сами понимаете, что при таких обстоятельствах я не только не испытала радости материнства, но ощутила лишь стыд, вину и потерю. Это было ужасное время, и его надо было пережить. Помню еще, что у девочки были необычно большие пальцы на ногах, совсем как у меня. Так что, доведись нам встретиться, мне достаточно было бы увидеть ее разутой, чтобы убедиться — это она. Я рассталась с дочерью, когда ей было пять дней.

Я сразу же вернулась домой и поговорила с матерью, которая продолжала оставаться жертвой. «Хватит, — сказала я ей, — ты не должна это больше терпеть. Я забираю тебя отсюда». И мы уехали вместе. Мою десятилетнюю сестру, которая всегда была «папочкиной любимицей», она оставила с отцом.

Я помогла матери устроиться в небольшой отель прислугой, нашла ей удобную квартиру, где она наконец-то почувствовала себя свободной. Исполнив свой долг и сделав для нее все, что могла, я уехала с подругой на месяц в Чикаго — и возвратилась через тридцать с лишним лет.

В те времена далекой юности насилие, которому я подверглась ребенком, и укоренившееся с годами чувство собственной никчемности привели к тому, что я привлекала к себе лишь мужчин, которые очень дурно со мной обращались и даже били. Возможно, я продолжала бы терпеть подобное отношение и ругать мужчин всю свою жизнь, но со временем положительный опыт, приобретенный благодаря работе над собой, позволил развиться чувству собственного достоинства, и мужчины такого рода стали уходить из моей жизни. Они ведь соответствовали моему прежнему подсознательному убеждению, что меня можно оскорблять. Но постепенно я от этого избавлялась. Я не могу извинить их поведение, но знаю, что их притягивал именно мой стереотип мышления. Теперь мужчина, способный оскорбить женщину, даже не знает о моем существовании. Наши модели поведения больше не притягивают друг друга.

После нескольких лет, проведенных в Чикаго, где мне приходилось в основном работать прислугой, я переехала в Нью-Йорк. Мне повезло — я стала супермоделью. Но даже работа с известными модельерами не помогла мне начать относиться к себе с уважением. Я находила в себе все новые и новые недостатки, вплоть до того, что считала себя некрасивой.

Много лет я провела в мире высокой моды. Я встретила замечательного человека — англичанина, образованного, настоящего джентльмена — и вышла за него замуж. Мы путешествовали по миру, встречались с членами королевской семьи и даже обедали в Белом доме. Однако я так и не научилась уважать себя, хотя и была известной манекенщицей и замужем за чудесным человеком.

Мы были женаты уже 14 лет, как вдруг мой муж объявил, что хочет развестись и жениться на другой. Это произошло как раз тогда, когда я только начала верить, что хорошее может длиться долго. Для меня все было кончено… Но время шло, и однажды я почувствовала, что моя жизнь начинает меняться. Как-то весной это подтвердил и специалист по нумерологии, сказав, что осенью произойдет небольшое событие, которое в корне изменит мою жизнь.

Событие и впрямь было столь незначительное, что я смогла его оценить лишь несколько месяцев спустя. Совершенно случайно я попала на собрание в Церкви религиозной науки в Нью-Йорке. То, что там говорили, было для меня абсолютно новым, но какой-то внутренний голос сказал: «Обрати внимание», и я прислушалась. Я стала посещать не только воскресные службы, но и занятия в течение недели. Мир моды и красоты постепенно терял для меня привлекательность. Нельзя же, в конце концов, всю жизнь только и думать, что о размере талии и форме бровей! Если учесть, что когда-то я бросила школу, где, впрочем, толком и не училась, то со мной поистине произошло удивительное превращение: я стала жадной до знаний, прилежной студенткой. Я поглощала буквально все, что попадалось, по метафизике и целительству.

Церковь религиозной науки стала для меня родным домом. В остальном моя жизнь шла по-старому, но этим занятиям я посвящала все больше и больше времени. Через три года, сдав экзамен и получив специальную лицензию практикующего целителя, я начала работать при церкви. Это было много лет тому назад…

И это действительно было только начало. Позднее я стала и трансцендентальным медитатором. Но так как в нашей церкви на следующий год не предполагалось специальной программы обучения пастырей, я решила предпринять что-нибудь сама. Так я попала в Международный университет махариши (Фэрфилд, штат Айова), где проучилась шесть месяцев.

Для меня это было как раз то, что надо. Занятия для новичков были организованы таким образом, что каждый понедельник с утра мы начинали изучать какой-нибудь новый предмет: биологию, химию, теорию относительности, о которых я до этого едва слышала. Утром в субботу мы сдавали по этому предмету экзамен. Воскресенье — день отдыха. А с понедельника все начиналось снова.

И никаких развлечений, к которым я привыкла в Нью-Йорке. Вечером, после ужина, все расходились по комнатам — заниматься самостоятельно. Я была самой старшей из студентов, и мне все ужасно нравилось. Никакого курения, выпивка и наркотики запрещены. Мы медитировали ежедневно, по четыре раза. В день своего отъезда я чуть не упала в обморок в аэропорту от сигаретного дыма.

В Нью-Йорке я возвратилась к своим прежним делам и вскоре приступила к занятиям по программе подготовки пастырей. Я принимала самое активное участие в работе церкви и в мероприятиях, которые там проводились. Стала выступать на дневных собраниях, работать с пациентами. Все шло прекрасно. Воодушевленная успехами, я даже решила написать небольшую книжку «Исцели себя сам». Поначалу это был лишь перечень метафизических причин различных заболеваний. Я начала сама читать лекции, много путешествовала, организовала группу учеников.

И вот пришел день, когда мне поставили диагноз — рак. Притом что пятилетней девочкой я подверглась насилию и впоследствии меня часто избивали, не удивительно, что это был рак матки.

Как каждый, кто услышит такой диагноз, я впала в панику. Однако благодаря работе с пациентами я знала, что можно исцелиться путем умственной работы и психотерапии. Теперь мне представилась возможность доказать это на своем опыте. В конце концов, я ведь написала к тому времени книгу о стереотипах мышления и знала, что рак является результатом долго копившейся обиды, которая начинает разъедать тело. А сама все еще продолжала упорствовать в своем нежелании простить обиду «им» — тем, из моего детства, и перестать на них сердиться. Теперь же у меня не оставалось времени — так много надо было успеть.

Для меня слово *неизлечимый*, которое так пугает многих, значит лишь то, что данное положение не может быть исправлено никаким внешним способом, так что исцелиться можно только самому, упорно над собой работая.

Если бы я согласилась на операцию, не изменив свои убеждения и стереотипы мышления, которые породили болезнь, то врачи просто бы резали и резали Луизу, пока от нее ничего не осталось бы. Такой вариант меня не устраивал. Операция могла помочь, если устранить и те убеждения, которые вызвали болезнь. Я убеждена: если случается рецидив, виноваты не врачи, которые «недорезали», а сам пациент, ничего не изменивший в своих взглядах и убеждениях. Значит, он вновь воссоздал условия для того же самого заболевания, возможно, правда, в другом органе или другой части тела.

Я верила, что, если смогу избавиться от тех застарелых чувств, которые породили рак, мне не понадобится операция. Я попросила у врачей отсрочку, сославшись на то, что у меня нет денег, и они скрепя сердце дали мне три месяца.

Я немедленно занялась собой: читала и анализировала все, что могла достать о нетрадиционных методах лечения, все, что должно было помочь мне исцелиться.

Я скупила все книги о раке, которые нашла в магазинах. Я пошла в библиотеку, чтобы найти дополнительную литературу. Я заинтересовалась рефлексотерапией (ступни) и лечением толстого кишечника, подумав, что и это может мне пригодиться. И еще мне везло: я выходила прямо на нужных мне людей. Так, прочитав книгу о рефлексотерапии, мне захотелось найти специалиста-практика. Однажды на лекции я случайно села в последнем ряду, хотя обычно сидела впереди. Буквально через минуту в зал вошел мужчина и сел рядом. Вы уже догадались, кто это был? Специалист по рефлексотерапии (ступни), практиковавший на дому. Он приходил ко мне домой по три раза в неделю на протяжении двух месяцев и очень мне помог.

Я также знала, что мне необходимо полюбить себя гораздо сильнее, чем я привыкла. В детстве мне не хватало любви, и меня не научили относиться к себе хорошо. Я усвоила «их» стереотип отношения к себе: вечные придирки, замечания, и он стал моей второй натурой.

Сотрудничая с Церковью религиозной науки, я осознала, как важно полюбить себя и одобрять свои действия и поступки. Но я все время откладывала это на потом, ну, как диету, которую мы обязательно начнем соблюдать завтра. Теперь я не могла больше медлить. Поначалу мне было очень трудно стоять перед зеркалом, повторяя: «Луиза, я люблю тебя.

Я правда очень тебя люблю». Но я не отступала. Вскоре я обнаружила, что в ситуациях, в которых, случись они раньше, я бы себя отчаянно ругала, теперь, благодаря упражнениям перед зеркалом и другой работе над собой, я уже так не поступала. Я явно делала успехи.

Я знала, что должна избавиться от обиды и негодования, которые мучили меня с детства. Это было совершенно необходимо.

Да, у меня было очень тяжелое детство, много эмоциональных, физических и сексуальных унижений выпало на мою долю. Но все это произошло много лет назад и не могло послужить оправданием моему нынешнему отношению к себе. Я буквально позволяла раку разъедать свое тело, и все потому, что никак не могла простить.

Пришло время проанализировать те давние события и начать ПОНИМАТЬ, как сформировались характеры людей, которые могут так относиться к ребенку.

С помощью хорошего психотерапевта мне удалось, наконец, избавиться от глубоко спрятанного и долго хранимого чувства гнева и обиды. Для этого я даже колотила подушки и в ярости кричала, после чего мне стало гораздо лучше. Потом я стала вспоминать, что рассказывали мне родители о своем детстве. Складывая вместе отдельные эпизоды, я получила более или менее цельную картину — представление об их жизни. Теперь, будучи взрослой, я даже начала им сочувствовать, разделяя их боль; так постепенно исчезало и чувство обиды.

Кроме всего прочего, мне еще очень повезло с диетологом: он помог очистить мой организм от токсинов и шлаков,

Я уверена, что до самых последних дней можно оставаться полным сил, энергии и здоровья и наслаждаться каждым мгновением.

скопившихся за годы неправильного питания. Я узнала, что дрянная пища ведет к отравлению организма. А неправильные мысли отравляют разум. Я придерживалась очень строгой диеты и почти ничего не ела, кроме массы свежих овощей, особенно в виде салатов. В первый месяц я даже чистила желудок по три раза в неделю.

Мне не пришлось идти на операцию. В результате всего, что я проделала, очищая тело и разум, через шесть месяцев после объявления диагноза врачам пришлось признать уже известный мне факт: никакого намека на рак у меня нет! Теперь я знала уже из собственного опыта: БОЛЕЗНЬ МОЖНО ИЗЛЕЧИТЬ, ЕСЛИ МЫ ОЧЕНЬ ХОТИМ ИЗМЕНИТЬ СВОИ МЫСЛИ, УБЕЖДЕНИЯ И ПОСТУПКИ!

Да, иногда случается и так: то, что кажется величайшей трагедией в нашей жизни, оборачивается на благо. Я многому научилась за время болезни и по-новому оценила жизнь. Задумавшись над тем, что действительно для меня важно, я решила уехать из Нью-Йорка — города почти без зелени и с резкими колебаниями погоды. Некоторые мои пациенты очень не хотели меня отпускать, даже говорили, что умрут без меня. Я успокоила их, пообещав, что буду навещать их дважды в год. К тому же телефон доступен всем. Итак, оставив все дела в Нью-Йорке, я села на комфортабельный поезд и уехала в Калифорнию. Начать я решила с Лос-Анджелеса.

Хоть это и было место моего рождения, кроме матери и сестры, я там практически никого не знала. Обе они жили в пригороде, примерно в часе езды. У нас в семье никогда не было близких, доверительных отношений, и все же я была неприятно поражена, узнав, что моя мать вот уже несколько лет как ослепла и никто не удосужился мне об этом сообщить. Сестра оказалась слишком «занятой», чтобы со мной увидеться. «Как хочет», — подумала я и занялась устройством собственной жизни.

Моя небольшая книга «Исцели себя сам» открыла передо мной массу возможностей. Я стала посещать собрания Нью Эйдж. Обычно я представлялась и дарила книжку. Многие меня уже знали. Первые полгода я часто проводила время на пляже, понимая, что позже из-за занятости не смогу себе этого позволить. Постепенно у меня появились пациенты. Меня то и дело приглашали где-то выступить, моя жизнь налаживалась: Лос-Анджелес встретил меня радушно. Через пару лет я смогла переехать в чудесный дом.

Моя жизнь в Лос-Анджелесе ничем не напоминала годы детства, проведенные здесь же, благодаря огромным переменам, произошедшим в моем сознании. Все шло как по накатанной дорожке. Право, как быстро может наша жизнь совершенно перемениться!

Однажды поздно вечером мне позвонила сестра — впервые за два года. Она сообщила, что наша 90-летняя мать, слепая и почти глухая, упала — у нее перелом позвоночника. Так в одно мгновение эта сильная, независимая женщина, моя мать, превратилась в беспомощного ребенка, страдающего от боли. Но вместе с этим приоткрылась и завеса таинственности, окружавшая мою сестру. Мы начали общаться. Я узнала, что у сестры тоже проблемы со спиной — частые боли мешают ей сидеть и ходить. Она никому об этом не говорила, и, хотя сестра плохо выглядела (страдала отсутствием аппетита), даже муж не догадывался о ее болезни.

После месяца, проведенного в больнице, мама должна была возвратиться домой. Но она уже не могла себя обслуживать и поселилась со мной.

Хотя я и знала, что жизнь не стоит на месте и всякое может произойти, однако совершенно не представляла, как со всем этим справлюсь. «Хорошо, — обратилась я к Богу, — я буду о ней заботиться, но Ты мне помоги и обеспечь деньгами!» И все сложилось более чем удачно для нас обеих. Но возникла новая проблема: мама приехала в субботу, а в пятницу на следующей неделе мне надо было уезжать на четыре дня в Сан-Франциско. Я не могла оставить ее одну, а ехать было необходимо.

«Боже, — сказала я, — сделай что-нибудь. Мне нужно найти до отъезда подходящего человека, который бы нам помог».

Такой человек появился в следующий четверг и, переехав к нам, занялся домом и уходом за матерью. Так еще раз подтвердилось одно из главных моих убеждений: «Мне всегда откроется то, что должно знать, а то, что мне нужно, я получу по Божественному повелению».

Я поняла: вновь пришло время учиться. Надо избавиться от мусора, накопившегося с детства.

В пору моего детства мать была не в силах меня защитить. Однако теперь я могла о ней заботиться и делала это. Между мной, матерью и сестрой стали складываться новые отношения.

> **Куда жизнь приведет меня завтра? Не знаю. Но я полностью готова воспринять все, что она мне предложит.**

Я узнала, что много лет назад, когда я увезла мать из города, отчим обрушил всю свою ярость и боль на сестру, так что она тоже страдала от его жестокости.

Я поняла, что страх и напряжение, плюс уверенность, что никто не может ей помочь, пагубно влияли на ее здоровье, увеличивая физическое недомогание. Теперь с ней была Луиза — не для того, чтобы выступить в роли спасителя, а с горячим желанием помочь сестре улучшить свою жизнь.

Очень медленно, но мы начали распутывать этот клубок. Сейчас, в 1984 году (год выхода первого издания книги. — *Ред.*), процесс все еще продолжается. Мы пробуем разные методы, но прежде всего я стараюсь, чтобы она почувствовала себя в безопасности. Так мы шаг за шагом продвигаемся вперед.

Надо сказать, что и у мамы дела идут гораздо лучше. Она делает зарядку четыре раза в день и при этом очень старается. Тело ее становится более сильным и подвижным. Я подобрала ей слуховой аппарат, так что она стала больше интересоваться жизнью. Несмотря на ее религиозно-теологические воззрения, мне удалось уговорить ее удалить катаракту с одного

глаза. Как счастлива она была вновь обрести зрение! А мы не могли нарадоваться на нее — будто сами увидели мир ее глазами. Теперь она много и с удовольствием читает.

Мы стали находить время посидеть и поговорить, чего никогда раньше не делали. Между нами возникло взаимопонимание. Теперь мы свободно общаемся, смеемся, плачем, обнимаем друг друга. Только иногда она все же раздражает меня — так что я знаю: еще есть над чем работать.

…Моя мать ушла в мир иной в 1985 году. Я скучаю по ней и люблю ее. Мы совершили вместе все, что могли. Теперь мы обе свободны.

ПОСЛЕСЛОВИЕ

Прошли годы с тех пор, как я написала эту книгу. Успех ее превзошел все мои ожидания, а ведь моей заветной мечтой было помочь как можно большему числу людей изменить свою жизнь к лучшему. Многое произошло за это время.

Книга разошлась в количестве почти трех миллионов экземпляров и переведена на 23 языка мира, включая польский и персидский. Поистине Космос хотел, чтобы она достигла разных уголков планеты. Я думаю, причина успеха в моей способности помочь людям измениться к лучшему, ни в чем их при этом не обвиняя.

Шесть с половиной лет я посвятила работе с больными СПИДом. Все началось однажды вечером, когда в моей гостиной собрались шестеро больных, а через пару лет мы уже проводили еженедельные встречи, в которых участвовало до 800 человек. Для меня это был очень важный период духовного роста. Сердце буквально разрывалось от любви и сострадания. Я не забуду все, что мы делали, до конца своей жизни. Группа поддержки Хейрада и сейчас существует в Западном Голливуде, однако я с ней больше не связана, так как несколько лет назад уехала из города.

Как-то уже после того, как я закончила книгу, несколько человек вместе со мной участвовали в известном телешоу Опры Уинфри: мы рассказали о своем положительном опыте работы с больными СПИДом. На той же неделе вместе с доктором Берни Сигел я принимала участие в телепрограмме Фила Донахью. Моя книга оставалась лучшим бестселлером целых 13 недель. Я постоянно ощущала, как много новых возможностей открывает передо мной жизнь, и работала ежедневно, без выходных, по 10 часов. И так продолжалось довольно долго.

Теперь у меня небольшая ферма, и я провожу много времени в саду, с огромным удовольствием ухаживая за растениями. Я — последователь органического садоводства, так что у меня ничего не пропадает: ни кустик салата, ни листок с дерева. Все отходы идут в компост. Почву я постоянно улучшаю и удобряю, и земля у меня очень плодородная. Круглый год я стараюсь питаться свежими фруктами и овощами из своего сада.

Много радости доставляют и мои зверушки: скотч-терьер Френсис, западный горный терьер Хайленд, миниатюрная японская декоративная собачонка Винки, моя гималайская кошка Сабрина и забавные кролики Митси и Витси. Все они когда-то были обижены судьбой. Я ведь не покупаю животных, я их спасаю. Год любви поистине творит чудеса, в том числе и с домашними животными. Теперь я купаюсь в их безграничной любви, и все мы доставляем друг другу много радости.

Жизнь циклична. В ней есть время работать и время двигаться дальше. Когда-то я вела семинары и читала лекции повсюду. Я подготовила курс интенсивной тренировки, рассчитанный на 10 дней, и ездила по всей стране, представляя свои программы. Но больше я этим не занимаюсь. Я как бы частично ушла в отставку, чтобы хоть какое-то время по-настоящему насладиться жизнью.

Сейчас, когда мне много лет, я смотрю на жизнь несколько по-иному, мне интересно, как мы проживаем свои последние годы. Меня привлекает идея стать «высокочтимым старейшиной» и провести остаток лет как самые прекрасные годы своей жизни.

К тому же я хочу научить тех, кто идет к закату, как стать таким «высокочтимым старейшиной» и, заняв подобающее место в обществе, быть мудрым наставником. Я уверена, что до самых последних дней можно оставаться полным сил, энергии и здоровья и наслаждаться каждым мгновением.

Книга и кассета «Путь к здоровой жизни» стали фундаментом, на котором мне удалось создать небольшое издательство «Хей Хаус». Мы специализируемся на издании книг и производстве кассет, которые помогают людям самим справиться с недугами и проблемами. Мне нравится зарабатывать, помогая другим улучшить свою жизнь, и я искренне поддерживаю всех авторов, которые несут светлые идеи, помогая нам осознать себя и продвинуться по пути духовного развития.

Как-то астролог сказал мне, что с рождения мне предначертано помочь очень и очень многим людям, общаясь с ними лично. Конечно, 67 лет назад, когда магнитофонов еще и в помине не было, трудно было бы представить, как это возможно осуществить «лично». Однако теперь благодаря чудесам техники тысячи людей каждый вечер ложатся спать, слушая мой голос.

И в результате многие, кого я даже никогда не встречала, чувствуют, будто мы хорошо знакомы — ведь мы и правда провели много времени вместе, общаясь друг с другом. И вот еще что совершенно замечательно: куда бы я ни приехала, меня везде встречают с любовью. Люди видят во мне старого друга, не раз помогавшего в сложных ситуациях.

Я веду и колонку «Советы Луизы Хей», которая выходит под заголовком «Дорогая Луиза» или «Спросите у Луизы», в зависимости от того, где она опубликована. Началось это два года назад с публикации в журнале *The Science of Mind* («Наука разума»), а теперь я печатаюсь в 31 духовно-религиозном издании Нью Эйдж, круг читателей которых составляет более миллиона человек. Если вы захотите увидеть мою колонку в своей местной газете, дайте мне знать.

Куда жизнь приведет меня завтра? Не знаю. Но я полностью открыта и готова воспринять все, что она мне предложит.

СЧАСТЛИВЫЕ ЦВЕТА и ЧИСЛА

Вы можете изменить жизнь к лучшему лишь силой своих мыслей! Это проверила на себе сама Луиза Хей и вслед за ней – миллионы людей во всем мире. Вы не станете исключением, дорогой читатель.

Кроме позитивных аффирмаций на каждый день и на все случаи жизни, в этой книге вы найдете уникальную теорию Луизы Хей, посвященную цветам и числам, их роли в нашей повседневной жизни. И не только теорию – с помощью специальных таблиц и методик вы сможете рассчитать свой личный год, месяц и день и узнать, как их применять для достижения успеха. А еще вы окунетесь с головой в мир красок и научитесь использовать цвета во благо себе и окружающим.